LOS 5 TEMAS DE LA ORACIÓN DE CRISTO

Eliud A. Montoya

LOS 5 TEMAS DE LA ORACIÓN DE CRISTO

EL PODER DE LA ORACIÓN DEL PADRE NUESTRO

SEGUNDA EDICIÓN

PALABRA PURA
palabra-pura.com
2020

Los 5 temas de la oracion de Cristo.
El poder de la oración del Padre nuestro

Las citas bíblicas de esta publicación han sido tomadas de la Reina-Valera 1960[TM] © Sociedades Bíblicas en América Latina, 1960. Derechos renovados 1988, Sociedades Bíblicas Unidas. Utilizado con permiso.

Diseño del libro: Iuliana Sagaidak Montoya
Editorial: Palabra Pura, www.palabra-pura.com
CATEGORÍA: Religión / Iglesia cristiana / Crecimiento

IMPRESO EN ESTADOS UNIDOS DE AMERICA
PRINTED IN THE UNITED STATES OF AMERICA

••• CONTENIDO

...⟩ INTRODUCCIÓN

Los discípulos de Jesús fueron una vez más a pedirle algo. Esta vez no era para preguntarle, «¿por qué nosotros no pudimos echar fuera el demonio?» o «¿qué es lo que esa parábola significa?» Esta vez no vino la madre de un par de ellos para pedirle que diera honores extraordinarios a sus hijos. No, nada de eso. Más bien esta vez lo que pedían los discípulos era algo legítimo, aunque parecía a simple vista como un sutil reclamo. Ellos dijeron, «Señor, enséñanos a orar, como también Juan enseñó a sus discípulos». Como diciendo, «¿por qué no nos has enseñado los fundamentos de la vida cristiana? Nos enseñas doctrinas profundas y difíciles de entender, nos enseñas la interpretación de pasajes complejos del Antiguo Testamento; has revelado a los tuyos las cosas guardadas desde antes de la fundación del mundo y ni siquiera sabemos cómo es que debemos orar; Juan si lo hizo con sus discípulos, y nosotros teniendo como maestro al mismísimo Hijo de Dios, ¿cómo es posible que no sepamos algo tan elemental?».

Cuando alguien pide a un ministro que le explique cómo es que debe de orar, muchas veces recibimos una respuesta simple: «Orar es platicar con Dios». Y esta parece ser una bella respuesta, una respuesta que nos cautiva a causa de su simpleza desde el primer momento que la escuchamos. Alguien va un poco más allá y dice: «¿Has leído cómo es que el velo del templo se rasgó en dos? Esto significó que ahora nosotros en Cristo tenemos acceso directo al Padre, es maravilloso que podamos hablar con nuestro Padre Celestial sin necesidad de ningún intermediario excepto mediante Cristo mismo. Él, siendo Dios, es también nuestro Sumo Sacerdote y vamos por medio suyo a hablar con el Padre de gloria». ¡Excelente! Esto nos cautiva aún más. Pero al llevar al terreno de la práctica estos conceptos sencillos parece que no nos funcionan.

Es como aquel que pide consejos para abordar a una chica que le agrada y el consejero amigo le dice: «¡Habla con ella!» «Si, está muy bien» —responde el pretendiente—, «pero dime, ¿qué es lo que debo decirle? ¡Esa es la razón de mi pregunta!». Lo que sucedió con los discípulos de Jesús es exactamente lo que sucede con todos nosotros. Tenemos la intención de hablar con nuestro amado Dios, queremos expresar muchas cosas, pero no sabemos ni cómo empezar, ni qué temas abordar, ni tenemos idea de algún método u orden que podamos utilizar.

Los apóstoles veían a Jesús orar. Veían que Cristo realmente tomaba en serio la oración. No, eso no es todo, ¡Cristo vivía una vida de oración! Si observamos el ministerio del Señor en los evangelios, podemos entender que Él llevaba una vida sumamente ajetreada en muchos quehaceres ministeriales. Cristo Jesús tenía una agenda sumamente apretada, pero cuando se trataba de orar, Él dejaba de comer para orar, dejaba de dormir para orar, dejaba de ministrar para orar y hasta dejaba el mundo entero para subir una montaña y ahí desplomarse ante su Padre celestial en intimidad con Él. Los discípulos fueron testigos de aquella vez que se quedó en la orilla del mar de Galilea, el de Tiberias, cuando subió al monte a orar sólo y después de muchas horas de oración vino a ellos andando sobre el mar. ¡Qué experiencia! Ellos veían con sus ojos lo que el resto de la humanidad de todos los tiempos jamás vio... Poco a poco los discípulos comenzaron a sospechar cual era la clave del poder de Cristo. La vida de poder de Cristo descansaba en su tremenda vida de oración. Podemos decir que Cristo oraba constantemente, en todo lugar, pero siempre se apartaba a solas para estar con Dios.

Algunas ocasiones los evangelistas registraron las oraciones de Cristo; la mayoría muy breves, y una única larga, la del capítulo diecisiete de Juan, pero en realidad, lo que Cristo oraba era un misterio para los discípulos, por lo que ellos deseaban saber cómo debía de orarse.

Cuando nosotros iniciamos nuestra vida en Cristo se nos dice: «Usted, ahora que ha entrado a este maravilloso Camino, debe de orar. Orar es hablar con Dios». Normalmente el consejero detiene ahí el tema y pasa a otro. «En segundo lugar usted debe...» Entonces nosotros nos quedamos con una idea muy pobre de lo que la oración significa. *El hermano me dijo que orar es platicar con Dios,* nos decimos. *Bueno, no sé qué debo decirle, pero voy a intentarlo.* Luego, quizá esto suene un poco gracioso, pero algunos de nosotros solemos acercarnos a alguno de esos hermanos que oran en voz alta para aprender cómo se supone que debemos hacerlo. Poco a poco vamos aprendiendo el lenguaje evangélico; empezamos a orar como los demás miembros de la iglesia lo hacen y con el tiempo, hasta podemos también orar en público. Muchos de nosotros podemos recordar la primera vez que lo hicimos. Pero Cristo era tan breve al orar en público que los discípulos no tenían ni la más mínima idea de cómo es que lograba Cristo pasar tanto tiempo orando en privado.

La oración privada

«Mas tú, cuando ores, entra en tu aposento, y cerrada la puerta, ora a tu Padre que está en secreto; y tu Padre que ve en lo secreto te recompensará en público»

–Mateo 6:6

La clave de una vida de poder es nuestra oración privada. Ahí expresamos al Señor nuestros más íntimos pensamientos. Abrimos nuestro corazón y oramos de la mejor manera que podemos; sin embargo, Cristo nos revela que el simple hecho de orar no nos da automáticamente los beneficios que Dios promete. La oración siempre tendrá requisitos. En Mateo capítulo seis el Señor Jesús nos revela el grave error que los fariseos cometían al orar. Ellos no estaban buscando agradar a Dios sino meramente el prestigio personal. Buscaban ser vistos por los hombres, y que ellos les alabaran por ser personas muy consagradas a Dios. ¡Qué grave error! Conseguían ser alabados por los hombres, pero tiraban a la basura toda la recompensa del Señor. Sus oraciones no eran escuchadas porque hacían largas oraciones para ser vistos por los hombres. Eso se asemeja a algunos de nosotros, que con la intención de que los demás vean que somos muy espirituales, permanecemos más tiempo de lo que realmente quisiéramos en el altar del templo, con tal de mantener un prestigio delante del grupo.

Nunca sabremos cual es la verdadera intención de una persona, haga lo que haga. Esto es algo del corazón, está en su mente y nosotros lo ignoramos, pero Dios no.

Cuando ores...—dice el Señor—. Esto quiere decir que orar es una práctica habitual de todo cristiano. Es algo que caracteriza a los verdaderos hijos de Dios. Está escrito: «Mirad que no menospreciéis a uno de estos pequeños; porque os digo que sus ángeles en los cielos ven siempre el rostro de mi Padre que está en los cielos» (Mt. 18:10). Los pequeñitos de Dios, es decir, todos sus hijos, vienen a su presencia todos los días para ver el rostro de su Padre celestial. Dios quiere que nosotros vayamos a su presencia cada día y presentemos ante Él nuestra oración cuando estamos en nuestro lugar secreto, el lugar en donde podemos estar a solas con Dios, y donde Él escucha nuestras plegarias. Luego nuestras oraciones en público se irán pareciendo a las oraciones sencillas, pero poderosas, que hizo Jesús a oídos de quienes le rodearon.

¿Un método para orar?

«Con mi alma te he deseado en la noche, y en tanto que me dure el espíritu dentro de mí, madrugaré a buscarte; porque luego que hay juicios tuyos en la tierra, los moradores del mundo aprenden justicia» —Isaías 26:9

Hay gente que ora a Dios en las madrugadas, otros suelen orar por las mañanas, otros por las noches. Buscar a Dios es una de las definiciones de la oración. Buscarlo con insistencia y con todo el corazón son los requisitos para encontrarlo. Una buena parte de las Sagradas Escrituras son oraciones. Los salmos son oraciones, muchas de las palabras de los grandes hombres de Dios que se mencionan en la Biblia son oraciones. Las grandes mujeres de la Biblia como Ana, Débora y María tuvieron oraciones que vemos registradas en la Biblia. Sin embargo, tal parece que no se sigue un método definido. Son nacidas del alma, son inspiradas por el Espíritu Santo, pero Daniel no sigue el método de David, ni ninguna de las oraciones del Nuevo Testamento podría ser comparada —en cuanto a su método— con la de Daniel. Cada uno de nosotros es libre para orar como sienta, como le dicte su corazón y conciencia.

Sin embargo, los discípulos de Cristo preguntaron al Señor por un método. Ellos querían saber cuál sería la manera más efectiva de orar habitualmente. Muchos de nosotros tenemos el deseo de orar habitualmente, pero la realidad es que muchos cristianos no lo hacen y otros que lo hacen no sienten que sus oraciones sean efectivas. Cristo entonces aborda uno de los temas más importantes de la vida cristiana cuando enseña a sus discípulos a orar. En el mundo en que vivimos todo parece tener una manera concienzuda de hacerse. El mundo en que vivimos está dominado por la ciencia. La forma más inteligente de hacer las cosas; la forma más creativa, todo está dentro de sistemas que armonizan. Ahora miremos el universo. Dios es un ser racional. Dios quiere de nosotros un culto racional. Los discípulos eran muy ingenuos en muchas cosas, pero muy pronto comprendieron que Cristo pensaba como Dios, Cristo tenía un pensamiento sistémico, racional y sobrenatural. ¿Puede lo racional congeniar con lo sobrenatural? ¿Puede la oración que produce resultados sobrenaturales estar dentro de un método racional? Cristo pudo haber contestado a sus discípulos: «La oración es un misterio, nadie sabe ningún método específico. Todos aquellos que son llevados a una vida de oración deben de saber que la oración no tiene método alguno» ¡No! Esas no fueron las palabras del Señor. A Nicodemo el Señor le dice que todo aquel que es nacido del Espíritu es como el viento, «el viento sopla de donde quiere, y oyes su sonido; mas ni sabes de dónde viene, ni a dónde va» (Jn. 3:8). Pero cuando los discípulos le preguntan sobre un método o forma para orar, Jesús les da una respuesta definida, no les dice que no existe ninguna doctrina sobre la manera de orar. ¡Cristo les enseña a orar! Los evangelistas entonces dejan registrada la enseñanza del Señor en sus escritos, ahora también nosotros podemos aprender a orar debido al método de Cristo.

La oración no puede perder su esencia

«Suba mi oración delante de ti como el incienso, El don de mis manos como la ofrenda de la tarde» —Salmos 141:2

La oración es como un incienso que sube a la presencia de Dios para su deleite. Es un sacrificio de labios que ofrecemos al Señor cuya característica esencial es nuestra originalidad. Dios no quiere que copiemos las oraciones de alguien más para luego decírselas a Él, por más bellas que éstas sean, el Señor quiere nuestras propias palabras. Por tanto, la oración que ha sido llamada: «la oración del Padre nuestro», no es una oración que deba ser repetida delante de Dios como un rezo lacónico que luego sea dicho con la frialdad de una máquina. El Señor quiere la calidez de una oración que le enamore y le convenza. Dios quiere una oración racional dicha con todo nuestro fervor. Una oración que lleve una fe viva que mueva la mano de Dios y nos de gracia ante sus ojos al buscar su rostro.

Por ello, aunque Cristo nos enseña las pautas generales que deban de seguirse en una oración habitual y diaria, esto sólo debe ser en el marco de toda nuestra originalidad, de nuestra creatividad y argumentación. A Dios le gusta hacer negocios con el ser humano que ha creado y estos negocios son perpetuados mediante el vehículo de la oración. Orar es ir a hacer negocios con el Todopoderoso.

Podemos enseñar a un niño la oración del Padre nuestro o la oración modelo (como también se le ha llamado) palabra por palabra, pero más importante aún será enseñar a nuestros niños que orar es presentar nuestra alma en total transparencia en su presencia; y ayudarles poco a poco a ir adecuando sus oraciones a los lineamientos enseñados por Cristo. Sin embargo, ahora nos toca primero a nosotros como adultos (aunque tengo también a niños lectores muy destacados) aprender tales principios. Por ello he escrito este libro, para ayudarle a Usted, amado lector, a comprender mejor el método de Cristo para orar, las pautas y lineamientos del Señor para alcanzar los resultados que tanto anhelamos al presentar nuestro corazón delante de su trono de poder inigualable.

CONSIDERACIÓNES GENERALES

Antes de abordar los cinco temas de la oración de Cristo, debemos considerar el contexto de Lucas capítulo once en donde Jesús habla de la manera en que enseña a sus discípulos a orar. Consideremos:

> «Aconteció que estaba Jesús orando en un lugar, y cuando terminó, uno de sus discípulos le dijo: Señor, enséñanos a orar, como también Juan enseñó a sus discípulos» —Lucas 11:1

El Señor Jesús estuvo orando por un tiempo indefinido y oró hasta terminar. No se trataba de media hora, o una hora entera, ni de un tiempo específico. La Biblia dice simplemente que Él oró hasta terminar. En un mundo tan ajetreado como el nuestro si no traemos un reloj en el pulso nos sentimos desarmados. Podemos tener alguna noción del tiempo, pero nos gusta conocer minuto a minuto como va transcurriendo nuestra vida. Cuando oramos deberíamos olvidarnos de nuestro reloj. Deberíamos de hacerlo simplemente a un lado y empezar a orar hasta terminar, pues de esta manera dejamos que Dios termine su obra completa en nosotros.

En una ocasión escuché de un pastor que decía al Señor: «Dios mío, ¿por qué hace tiempo no siento tu respaldo ni tu presencia? parece que no estás conmigo cuando oro, parece que mis oraciones no tienen ningún impacto en tu presencia». Suavemente escuchó la voz de Dios en su corazón diciéndole, «cada vez que te hincas a orar no permites que yo termine mi obra, siempre interrumpes el proceso debido a ese reloj que traes en la muñeca izquierda». Es como un auto que cuando estamos llenando el tanque de la gasolina no permitimos que se llene, siempre a mitad de ese proceso dejamos así las cosas y arrancamos. Pocos de nosotros pueden tener la paciencia que Dios requiere para que Él alcance a bendecirnos. La Biblia nos dice: «A fin de que no os hagáis perezosos, sino imitadores de aquellos que por la fe y la paciencia heredan las promesas» (Heb. 6:12). La pereza de la que habla el Espíritu Santo en este pasaje es espiritual. Muchos pueden pensar que la oración es para perezosos, pero más bien podemos ser diligentes para lo material, pero no para las cosas de Dios. Orar requiere diligencia, paciencia y fe.

La oración requiere diligencia

«Os digo, que aunque no se levante a dárselos por ser su amigo, sin embargo por su importunidad se levantará y le dará todo lo que necesite» —Lucas 11:8

En el capítulo once de Lucas vemos que Jesús nos enseña la diligencia en la oración. Nos cuenta pacientemente una parábola de

un hombre que vino a su amigo de noche. Era a esas horas in-
dispuestas, en donde ya el sueño profundo ha tomado presa de
nosotros. «Los niños están adentro, la puerta ya está cerrada, no
puedo levantarme, no puedo darte lo que me pides» (Lc. 11:7,
parafraseado), dijo aquel desde adentro. Sin embargo, el amigo
siguió insistiendo a la puerta. Realmente estaba determinado a
obtener lo que deseaba. Dice Cristo, lo mismo es con Dios. Debemos ser diligentes, orar siempre y no desmayar. No importa la
hora, es necesario tener la disciplina de orar todos los días como
la tarea más importante del día. Debemos entender que cada día
que pasa sin que oremos —al no ser diligentes en orar— hemos
perdido una gran oportunidad de obtener de Dios grandes bendiciones. También podemos estar interrumpiendo algunos de los
procesos que Él tiene (o tenía) con nosotros. Todo debido a
nuestra falta de diligencia.

La diligencia es un cuidado y prontitud en ejecutar algo
que consideramos importante. Aquel que es diligente no dejará
pasar los primeros minutos de la mañana sin que esté de rodillas ante la presencia del Señor. «Me levantaré de madrugada a
buscarte» dice David. Aquello que hacemos primero es lo que
consideramos más importante y urgente. Habrá ocasiones que
tengamos que apurarnos en hacer alguna cosa que consideremos
importante, pero nada será comparable con nuestro tiempo de
oración. Quien toma en serio a Dios, Dios lo tomará en serio a
él. Quien le da lo mejor a Dios, Dios le dará lo mejor de sus
privilegios y beneficios. Abel encontró gracia ante los ojos de
Dios por presentar su ofrenda diligentemente. Abraham se

levantó de mañana para obedecer a Dios aún y cuando esta obediencia implicaba ofrecer lo que más quería en la tierra: su único hijo, el que hubo esperado por tanto tiempo. Pero eso es exactamente lo que Dios demanda de nosotros. Él no quiere las sobras de nuestro tiempo, no quiere ni el segundo ni el tercer lugar. Nuestro Señor quiere la absoluta preeminencia en nuestra vida.

La oración requiere paciencia

«He aquí, tenemos por bienaventurados a los que sufren. Habéis oído de la paciencia de Job, y habéis visto el fin del Señor, que el Señor es muy misericordioso y compasivo» –Santiago 5:11

Cristo nos enseña que es necesario insistir en la presencia del Padre para obtener aquello por lo que oramos. Algunos pueden decir que esto pueda significar falta de fe. Pero, Cristo enseña que debemos insistir, ¿quién puede contra la doctrina del Señor? Es necesario insistir, no porque Dios sea un Ser difícil de convencer para mostrar bondad a sus hijos, más bien la Biblia nos enseña que Dios es muy misericordioso y compasivo. Él está siempre dispuesto para bendecirnos. Salmos 35:7 nos dice que el Señor se deleita en ver a sus siervos prosperados y llenos de paz. ¿Por qué es necesaria la paciencia, como nos dice Hebreos también? Por causa de nosotros. Hay varias causas por las que un hijo(a) de Dios no recibe una pronta respuesta a sus oraciones. Entre ellas la más importante es estar orando algo que no esté dentro de la voluntad de Dios (como veremos más delante), pero si haciendo un *check-up* de nuestra oración, y Dios nos afirma que está dentro de su voluntad, ¿por qué entonces se tarda? La respuesta la encontramos en la misma palabra de Dios. Pablo insistía de noche y de día delante de Dios para ir a los Tesalonicenses, la Biblia nos dice: «orando de noche y de día con gran insistencia, para que veamos vuestro rostro, y completemos lo que falte a vuestra fe» (1 Ts. 3:10). ¿Qué pasó entonces? La respuesta la encontramos en los versículos anteriores: «por lo cual quisimos ir a vosotros, yo Pablo ciertamente una y otra vez; pero Satanás nos estorbó» (1 Ts. 2:18). Cuando estamos orando, se libra una batalla tremenda en el mundo espiritual. El diablo no quiere que se haga la voluntad de Dios en la tierra, y se opone. El tiempo que la respuesta tarda no se debe a que Dios quiere retardarse para hacernos sufrir, sino en que estamos en lucha, los ángeles están en lucha, se libra una batalla tremenda que nosotros no podemos ver con nuestros ojos físicos. Significa que en los aires la respuesta que Dios ha enviado está sufriendo violencia. Lo vemos en el Antiguo Testamento con Daniel. Está escrito: «Entonces me dijo: Daniel, no temas; porque desde el primer día que dispusiste tu corazón a entender y a humillarte en la presencia de tu Dios, fueron oídas tus palabras; y a causa de tus palabras yo he venido.[13] Mas el príncipe del reino de Persia se me opuso durante veintiún días; pero he aquí Miguel, uno de los principales príncipes, vino para ayudarme, y quedé allí con los reyes de Persia» (Dn. 10:12-13). Para entonces Daniel había estado orando ya 21 días. La estrategia del diablo era hacer tanto tiempo fuera posible para que Daniel perdiera la fe, el ingrediente más importante para recibir lo que estamos pidiendo.

Por eso, Cristo nos habla de la paciencia; insistir una y otra vez, esto para alcanzar la fe que Dios requiere y para mantenerla hasta que el reino de las tinieblas ceda. Tenemos que persistir más que nuestro adversario el diablo, hasta que logremos la total victoria.

La oración requiere fe

«Pero sin fe es imposible agradar a Dios; porque es necesario que el que se acerca a Dios crea que le hay, y que es galardonador de los que le buscan» — *Hebreos 11:6*

Mucha gente que ora se frustra cuando sus oraciones no son contestadas. He escuchado decir, «no sé a qué se deba, pero parece que Dios se ha olvidado de mí, oro y oro, pero mis oraciones no son contestadas, realmente no sé lo que sucede». Cuando oramos, dice Santiago, ha de ser con fe, pues de otra manera no recibiremos nada de lo que pidamos. Escrito está: «Pero pida con fe, no dudando nada; porque el que duda es semejante a la onda del mar, que es arrastrada por el viento y echada de una parte a otra.[7] No piense, pues, quien tal haga, que recibirá cosa alguna del Señor» (Stg. 1:6-7).

La Biblia nos enseña que la fe es indispensable en la oración. Muchos pueden estar orando todo el día; quizá por meses y hasta por años sin recibir nada de lo que sabemos es la voluntad de Dios simplemente porque no tienen realmente fe en que recibirán lo que piden del Señor. Dice Juan: «Y esta es la confianza que tenemos en él, que si pedimos alguna cosa conforme a su voluntad, él nos oye.[15] Y si sabemos que él nos oye en cualquiera cosa que pidamos, sabemos que tenemos las peticiones que le hayamos hecho» (1 Jn. 5:14-15). Sabemos —y estamos seguros—, de que recibiremos lo que pedimos cuando es conforme a su voluntad. Es triste pensar que muchas personas pueden tener diligencia al orar, pueden tener paciencia al insistir, pero claudican en su fe. Es entonces cuando el enemigo ha ganado la batalla. Si Daniel hubiera perdido la fe antes de que el ángel Gabriel viniera, entonces no hubiera recibido la revelación que nosotros ahora podemos leer en su libro. Cristo mismo tuvo luchas tremendas contra el diablo, quien a toda costa quería hacerle claudicar en su fe.

El diablo es ladrón por naturaleza, mentiroso y destructor. Su objetivo es robarnos la preciosa fe (más preciosa que el oro, 1 Pedro 1:7) para frustrar los planes de Dios. Algunos nunca llegan a tener fe (suficiente) para recibir lo que piden. Otros alcanzan el nivel de fe, pero luego no son capaces de mantenerla al luchar contra el diablo. Todo es un asunto de fe. La oración es un asunto de fe.

La oración es un azote contra el diablo

«Someteos, pues, a Dios; resistid al diablo, y huirá de vosotros» –Santiago 4:7

En cada fase de la oración de Cristo está implícita una guerra espiritual en contra de nuestro adversario el diablo. Es el diablo quien quiere que no adoremos a Dios; quien no quiere que su voluntad sea hecha en la tierra; quien quiere que vivamos en la miseria; quien promueve los pleitos y las contiendas en la tierra y finalmente orquesta todo el mal en contra de los hijos de Dios. Por ello tenemos que tener en mente, según vayamos avanzando en nuestra oración, que estamos luchando en su contra mientras oramos. Mil y una excusas existen para no orar. Millones de creyentes en realidad no están orando actualmente y debido a ello es que el enemigo continúa sus maquinaciones. Miles de almas no estuvieran ahora en el infierno si miles de horas de oración se hubieran elevado a Dios con diligencia, paciencia y fe. Esa es una frase triste. Sin embargo, mi oración es que este libro contribuya a que nuestras oraciones sean multiplicadas, y hechas más eficientemente para que nuestro adversario salga avergonzado de nuestras vidas, familias, comunidades y ciudades; para de esta manera destruir sus obras y así ganar terreno para nuestro amado Señor.

Tenemos por tanto que estar reprendiendo y resistiendo al demonio en cada uno de los temas de Cristo en nuestra oración. Orar siguiendo este método es seguir los lineamientos del Señor, y aunque en la última fase nuestra mención del enemigo se hace más patente, no obstante, le reprendemos y resistimos constantemente a lo largo de todo el camino.

Recuerde que mientras ora, el enemigo está interfiriendo y haciendo fuerza, pero usted debe de permanecer fuerte, desenmascararle y hacerle huir en el poderoso nombre de Cristo.

Es por eso que es de suma importancia mencionar con vehemencia el poderoso nombre de Cristo, la sangre de Jesús (la cual nos limpia de todo pecado y purifica nuestras conciencias de obras muertas), y todos los pasajes bíblicos que el Espíritu Santo ponga en nuestra mente, mientras la ocasión se dé para reprender al demonio y así arrebatar las victorias que nos pertenecen en Cristo.

Ore en voz alta y mencione con poder el nombre de Cristo, ante el cual satanás tiene que doblegarse y arrodillarse. Mencione con fuerza las promesas de Dios escritas en la Biblia y refresque su mente mencionando la sangre de Jesús, por la cual entramos a la gracia de Dios, y nos convertimos en sus agentes en la tierra, llevando su autoridad y poder para continuar la obra que Él empezó hace casi dos mil años.

Sabiamente John Bunyan, quien vivió en el siglo XVII, escribió: «La oración es un escudo para el alma, un sacrificio a Dios, y un azote para satanás». El enemigo no quiere que oremos, pero si lo hacemos al menos quiere que nuestras oraciones sean débiles, esporádicas, sin fe, sin guerra espiritual y sin seguir los temas de Cristo. Si lo consigue, logrará estropear miles de horas de oración bien intencionadas, pero que no llevan la ciencia que Dios requiere para que sean poderosas y eficaces.

La intercesión se incluye en los cinco temas de la oración de Cristo

«Por lo cual puede también salvar perpetuamente a los que por él se acercan a Dios, viviendo siempre para interceder por ellos» –Hebreos 7:25

En los cinco temas de nuestra oración, siguiendo el modelo del Señor Jesús, es necesario que intercedamos al Señor por nuestros semejantes. Si amamos a nuestro prójimo como a nosotros mismos es necesario que intercedamos por él tan fervorosamente como oraríamos por nosotros mismos. En nuestra oración nos a favor de aquellos que nos rodean, por ello en cada uno de los temas de la oración de Cristo debemos mencionar a otros. En realidad, aunque uno de los temas de la oración de Cristo se refiere en particular a nuestras relaciones con los demás, es obedecer el mandamiento de Cristo — el de amarnos unos a otros—, orar por ellos a medida que se va desarrollando nuestra plegaria ante el Todopoderoso. Presente su intercesión ante el trono. Es indebido orar únicamente por nuestros propios asuntos. De hecho, en uno de los temas de la oración de Cristo, el tema de propósito, se implica que nuestras vidas fueron creadas para la bendición de otros; por ello es que la intercesión es un fundamento tan importante. Debemos, por tanto, orar también para que Dios cumpla su propósito en los demás. En cada uno de los temas de la oración de Cristo es menester interceder por nuestros semejantes, conocidos y desconocidos; amigos y enemigos.

Los primeros prójimos que tenemos en la vida son, por supuesto, los miembros de nuestra familia. Es necesario que intercedamos fuertemente por nuestra familia. Muchas familias están destruidas, aun cristianas, debido a que no hay quien interceda por ellos. Debemos interceder ante Dios que nuestro conyugue tenga una vida de adoración; que Dios cumpla su propósito en él o ella; que Dios provea a sus necesidades y cumpla los deseos de su corazón conforme a su voluntad, que el Señor le ayude a cumplir su propósito en la vida como parte del equipo que con él o ella formamos; que nuestras relaciones sean fortalecidas y que Dios le proteja del mal. Lo mismo rogamos por nuestros hijos.

Miremos el ejemplo de Cristo en el capítulo diecisiete de Juan. Cristo oró por sí mismo, pero también por sus discípulos. Oró por los suyos, aquellos que conoció o le conocieron a Él, pero también por aquellos que habían de creer por la palabra de ellos (Juan 17:20).

En una ocasión le preguntaron a una madre exitosa que casaba a su hija con un siervo de Dios en pureza y santidad, ¿ desde cuándo empezó a orar por su hija? Ella contesta: «Veinte años antes que naciera». Nosotros oramos por nuestros hijos y nietos, incluso antes de que estos vengan al mundo. Intercedemos por aquellos que nunca han visto nuestro rostro, como dijo Pablo (Col. 2:1), por aquellos hijos espirituales que el Señor nos dará también.

Oramos por el bienestar espiritual, físico y material de los demás, porque esto nos conviene, pues haciendo esto nos gozamos en su éxito y Dios traerá recompensa por nuestra labor.

Orden de los temas de la oración de Cristo

Una de las preguntas que alguien puede tener al abordar en detalle los temas de la oración de Cristo es cuál es el orden que debe seguirse. ¿Será que no debe trastocarse el orden que fue mencionado por Cristo en la oración modelo? Pienso que en la práctica debemos siempre tener en mente los cinco temas de la oración de Cristo sin significar que no tenemos la libertad de ir y venir en los temas, repasar alguno que ya tocamos o bien agregar algo que no mencionamos la primera vez. Tenemos toda la libertad, nuestra oración es libre y no debemos de hacer tan metódico el tratamiento de nuestra plegaria ante Dios. El Señor no quiere que seamos mecánicos ni inflexibles en nuestra conversación con Él, más bien todo lo contrario, Dios quiere una comunicación abierta y totalmente sincera con Él. El propósito de este libro es que nosotros aprendamos a orar siguiendo los temas de la oración de Cristo. Esto significa que cuando vamos a Dios en oración llevemos en nuestra mente los cinco temas y vayamos tocándolos uno por uno hasta terminarlos.

En la Biblia, Lucas dice: «Aconteció que estaba Jesús orando en un lugar, y cuando terminó...» (Lc. 11:1). Esto significa que Cristo no se levantó de orar hasta tocar los cinco temas de su oración. Podemos ir de un tema a otro, podemos adorar en algún punto de nuestra oración de propósito y luego continuar orando sobre ese tema, pero luego podemos volver a adorar cuando estamos en el tema de la tentación. Es natural que de pronto hayamos olvidado mencionar algún punto que pertenece a un tema que pensábamos habíamos terminado, pero debemos recordar que el Espíritu Santo es quien dirige nuestra oración y Él se mueve como quiere. Lo último que pretendo trasmitir mediante la lectura de este libro es un legalismo o inflexibilidad con respecto a la oración. ¡No! La oración es libre, es un camino amplio de expresión del alma. Vamos y venimos por la escalera de la oración, si ya avanzamos un peldaño, podemos retroceder y luego volver y saltarnos a otro, lo importante siempre será que no dejemos de tocar los cinco temas de la oración que nos enseña Jesús. Llegará un momento en que hayamos terminado, que el Señor mismo nos indique que nuestro segmento de oración ha llegado a su fin por ese momento del día o por el día entero (aunque deberíamos de volver a la oración varias veces por día). La señal será por regla general una paz y gozo interior y una confirmación de la indescriptible presencia de Dios, lo que selle nuestro tiempo de conversación con Él. El Señor confirmará a nuestro corazón que nos ha escuchado y que nuestra fe es real delante de Él. Estaremos ahora listos para poner en práctica las instrucciones que Él nos haya dado para hacer, pues de esta manera, ponemos pies a nuestra fe, la que empezamos a mostrar ante Él mientras estuvimos orando.

El Espíritu Santo como nuestra máxima meta

«Pues si vosotros, siendo malos, sabéis dar buenas dádivas a vuestros hijos, ¿cuánto más vuestro Padre celestial dará el Espíritu Santo a los que se lo pidan?» —Lucas 11:13

El Señor Jesús nos enseña que en cada fase de nuestra oración pidamos por el Espíritu Santo. Si observamos cuando los discípulos fueron a Dios en el capítulo cuatro de Hechos para adorar, solicitar protección, pedir por denuedo o ánimo para hablar la palabra de Dios y pedir la manifestación del poder de Dios mediante sanidades, señales y prodigios, la respuesta de Dios fue la llenura del Espíritu Santo. Asimismo, nosotros, podemos pasar la vida pidiendo cosas terrenales, pero si no buscamos la llenura del Espíritu Santo estamos errando el blanco. Se puede decir que la máxima meta de toda oración debe ser que el Señor nos llene de su Santo Espíritu.

Vemos en el libro de Hechos el Espíritu Santo guiando, protegiendo, aconsejando e invistiendo de poder a los primeros discípulos. La promesa del Señor Jesucristo fue muy clara y los miembros de la incipiente iglesia de Jerusalén lo entendieron bien. «Recibiréis poder cuando venga sobre vosotros el Espíritu Santo y me seréis testigos...» (Hch. 1:8). Luego que ellos fueron llenos del Espíritu Santo fueron capaces de henchir toda la tierra con el evangelio. El Espíritu Santo nos lleva a peticiones insospechadas. Dios nos hace pedir lo correcto.

Está escrito: «Y de igual manera el Espíritu nos ayuda en nuestra debilidad; pues qué hemos de pedir como conviene, no lo sabemos, pero el Espíritu mismo intercede por nosotros con gemidos indecibles» (Rom. 8:26). Muchas veces no sabemos cómo pedir ni qué mencionar en cada uno de los temas de la oración de Cristo, pero pidamos siempre la llenura del Espíritu en nuestra oración, en todo el camino de ella. El Espíritu nos guiará y enseñará todas las cosas, tal y como lo prometió Cristo: «Mas el Consolador, el Espíritu Santo, a quien el Padre enviará en mi nombre, él os enseñará todas las cosas, y os recordará todo lo que yo os he dicho» (Jn. 14:26). El Espíritu de Dios va llevándonos de la mano en nuestra oración, a fin de pedir como conviene. Cuando oramos en lenguas el Espíritu Santo traduce nuestras plegarias a Dios, sin nosotros saber exactamente lo que esto significa, pero sabemos que es para nuestro propio provecho (1

Cor. 14:4). Cuando oramos con el entendimiento, pidamos siempre de Su dirección y consejo. El consejo del Espíritu Santo nos hará orar conforme a la voluntad de Dios recordándonos todas las palabras de Cristo, y todos los versículos de la Biblia que son propios para el tema en que estamos orando. Esto es argumentar con Dios en base firme. «Escrito está», es la base de la fe que mueve la mano de Dios y hace al enemigo de nuestras almas huir.

Nuestra oración empezará a elevarse y hacerse cada vez más poderosa a medida que vamos siendo ayudados por el Espíritu Santo. El *paracletos*, esa palabra griega que significa tanto consolador como ayudador, nos revela que la tercera persona de la Trinidad tiene la función de mostrarnos cosas que nosotros no conocemos todavía, instruyéndonos y llevándonos a cotas cada vez más altas. Escrito está: «Clama a mí, y yo te responderé, y te enseñaré cosas grandes y ocultas que tú no conoces» (Jer. 33:3). Nuestra oración es vertiginosa y creativa a medida que dejamos que el Espíritu la guíe. Él nos dice qué orar y cómo orar exactamente. Nos lleva a interceder de una manera excepcional, nos revela cosas secretas en las personas a nuestro alrededor y en nuestra propia vida. Pone en nuestra mente y corazón proyectos que jamás imaginaríamos alguna vez tener. Nos ordena lo que debemos hacer para lograr algo; nos da los primeros pasos, el seguimiento y el cierre de algún asunto importante en sus negocios.

Que pidamos primero que todo y ante todo la llenura del Espíritu Santo, como lo ordena Cristo en Lucas 11:13, tiene sentido cuando pensamos en los resultados reales y poderosos que eso significa. El Señor develó el misterio más profundo de su oración detrás del método. Esto es: pedir por el Espíritu Santo. Él será nuestro compañero de oración cada vez que doblemos nuestras rodillas y entonces, al ir por cada uno de los temas de Cristo nos irá dando luz; y aunque nuestra oración en principio sea un desafío para nuestro intelecto y espíritu, el Espíritu de Dios convertirá ese tiempo en el más deleitoso y benéfico de nuestro día.

A medida que avancemos en nuestro conocimiento y entendimiento del Señor, llegaremos a la conclusión de que la meta más importante de nuestra comunión con Él es pedir por el Espíritu Santo y su llenura, pues esto es suficiente para satisfacer todas las demás necesidades de la vida y nos dará victoria contra toda fuerza maligna en el poderoso nombre de Jesucristo de Nazaret de Galilea.

Dicho lo anterior, pasemos de inmediato al análisis de los temas de la oración de Cristo enseñados en Lucas capítulo once y Mateo capítulo seis.

CAPITULO 1 ••• ADORACIÓN

«Dios es Espíritu; y los que le adoran, en espíritu y en verdad es necesario que adoren» —Juan 4:24

La oración modelo inicia con el primer tema que toda oración debe incluir. Este es el tema que se recomienda sea el primero antes de abordar cualquier otro. Aunque podemos afirmar que deban de incluirse los cinco temas de la oración de Cristo en todas nuestras oraciones habituales, puede ser que no se mencionen en el orden en cierta ocasión; sin embargo, el tema de la adoración debe ser siempre el primero. Es necesario abrir el cielo con nuestra adoración. La adoración es un sacrificio que rendimos al Señor. Es una ofrenda de labios que proclaman Su nombre y que produce gracia ante sus ojos. La adoración está presente en todas las esferas de la vida cristiana y se puede decir que toda nuestra oración misma es un acto de adoración a Dios.

Aunque Dios escucha la oración sincera nacida del corazón de sus hijos, el propósito de este libro es mostrar que nuestro Señor nos enseña a tener ciencia en cuanto a uno de los asuntos más importantes de la vida cristiana. La oración es la base fundamental de nuestro vivir en Cristo, por lo que debe de hacerse de la manera más inteligente y sabia posible; es por eso que Dios nos revela que la adoración es el mejor tema de inicio para nuestra oración.

Para principiar tendremos que definir el significado de la palabra adoración y para ello podríamos ir al diccionario que más convincente nos parezca, pero en realidad la palabra adoración tiene que ver con una dedicación o consagración a algo o alguien. Invertir tiempo, recursos y esfuerzos a Dios es adorarlo. Lo que se convierte en el objeto de nuestro pensamiento se convierte en nuestro objeto de adoración. Aquello que primero pensamos en el día y que no estamos dispuestos a intercambiar por nada se convierte en nuestro dios. Lo que nos emociona tanto al punto de la euforia; lo que ciegamente seguimos sin medir realidades o sin usar de raciocinio es una idolatría.

Desde el antiguo tiempo Dios reclama la adoración exclusivamente para Él. Los primeros habitantes del mundo tuvieron la ciencia del Todopoderoso y le adoraron. Abel, el primer gran adorador, fue sustituido por Set, luego su hijo Enós, quien siguió la enseñanza e influencia de su padre, fue quien finalmente levantó la adoración al Dios vivo, está escrito: «entonces los hombres empezaron a invocar el nombre de Jehová» (Gn. 4:26).

Dios se reveló a Abraham, siendo un hombre habitante de la actual Irak, de Mesopotamia, la legendaria región más antigua del mundo, el lugar del nacimiento de todas las culturas. Su padre era un adorador de ídolos (Jos. 24:2), pero Abraham aprendió a adorar al Dios verdadero, Jehová de los ejércitos. Su adoración le hizo salir de su tierra, habitando en Harán hasta la muerte de su padre (Gn. 11:32, Hch. 7:4). Abraham dejó Harán y Dios le llevó a un lugar desconocido y misterioso. Un lugar que Dios le indicaría en la marcha. Abraham supo que la adoración era lo más importante en su vida y en cada lugar en donde llegó, edificó un altar a Dios (aunque del que hiciera en Egipto nada se menciona en las Escrituras).

A causa de su fidelidad, Dios confirmó su pacto con él, cambió su nombre y le dio la señal de la circuncisión. De inmediato Abraham obedeció, y en un acto de adoración, circuncidó su propia carne y la de toda su casa incluyendo a su hijo Ismael, quien apenas empezaba su adolescencia. Pasado un año, Dios premió su fe con el nacimiento de Isaac, el hijo de la promesa, el que se gestó en el vientre de Sara. Muchos otros actos de adoración hubo en la vida de este hombre, aunque el del capítulo veintidós de Génesis fuera el más sobresaliente, pues el ofrecimiento de su hijo Isaac fue un tipo de lo que sucedería con Cristo mismo. Abraham siguió adorando hasta el último día de su vida, dando ejemplo a los otros patriarcas (inclusive cuando hubo oportunidad de vivir junto a su hijo y su nieto Jacob, vea Heb. 11:9).

Luego su nieto Jacob aprende a adorar, y cuando finalmente regresa de la tierra de su tío Labán, habiendo tenido gratas experiencias en Betel, y de sus pactos con Dios —algunos olvidados e incumplidos por parte del patriarca—, Dios le sigue guiando a la adoración; y así hasta el final de sus días —a los 147 años—, el libro de Hebreos de él dice: «Por la fe Jacob, al morir, bendijo a cada uno de los hijos de José, y adoró apoyado sobre el extremo de su bordón» (Heb. 11:21).

La fila de los adoradores al Dios vivo es larga desde Génesis hasta Apocalipsis. El Señor siempre se ha reservado un grupo de verdaderos adoradores.

La adoración empieza con una relación espiritual

«Mas a todos los que le recibieron, a los que creen en su nombre, les dio potestad de ser hechos hijos de Dios» —Juan 1:12

Nuestra adoración comienza con el reconocimiento de Dios como sus hijos y de nosotros a Dios como nuestro Padre. Este es el más grande privilegio de la vida presente, pues sin ser hijos de Dios espiritualmente, nuestra vida está simplemente confinada a los goces temporales de esta vida, para después despertar en un lugar de densa oscuridad para siempre (2 P. 2:17).

Simplemente ser reconocidos por Dios como sus hijos es motivo de nuestra más profunda y amplia gratitud; porque en realidad, sin menospreciar las demás bendiciones que recibimos del Señor en esta tierra, la única que realmente resplandecerá al estar en su presencia será ésta: ser un fiel hijo de Dios.

Es maravilloso pensar que esta relación espiritual es el camino para recibir, «amplia y generosa entrada en el reino eterno de nuestro Señor y Salvador Jesucristo» (2 P. 1:11). Es maravilloso pensar que un día cantaremos el cántico triunfal: «Digno eres de tomar el libro y de abrir sus sellos; porque tú fuiste inmolado, y con tu sangre nos has redimido para Dios, de todo linaje y lengua y pueblo y nación» (Apo. 5:9). Ésta es la esperanza que embarga nuestro ser y nos llena plenamente, que nos hace estar profundamente comprometidos con Cristo, por su eterna salvación, la que le pertenece a Él únicamente, y al que está sentado en el trono, la salvación que Él ganó por su propia sangre (Hch. 20:28).

Ser un hijo de Dios es motivo de algarabía y gran gozo; sin embargo, en ocasiones las pretensiones vanas y baladíes de este mundo pudieran hacer que el cristiano menosprecie el más grande tesoro que le ha sido confiado. Si esto ocurre, correrá el riesgo de que sea hallado falto en la presencia de Dios. Porque dice: «¿Cómo escaparemos nosotros, si descuidamos una salvación tan grande? (Heb. 2:3). Por ello, la simple mención de Dios como nuestro Padre nos llena de orgullo y temor a la vez. Es decir, la inmensa responsabilidad de permanecer en Él nos incentiva a abandonarnos a su poderosa mano, y así gozar de una inmensa confianza, protección y seguridad, cosas que tan sólo nuestro Señor otorga.

Y siendo hijos de Dios, las Escrituras nos dicen: «Pues si vosotros, siendo malos, sabéis dar buenas dádivas a vuestros hijos, ¿cuánto más vuestro Padre que está en los cielos dará buenas cosas a los que le pidan» (Mt. 7:11). La garantía de la oración descansa en nuestra relación con Dios. Si no gozamos de una relación Padre-hijo con el Todopoderoso, no podríamos alcanzar nada de su trono.

La Biblia nos dice: «Y si hijos, también herederos; herederos de Dios y coherederos con Cristo, si es que padecemos juntamente con él, para que juntamente con él seamos glorificados» (Rom. 8:17). Debemos como hijos de Dios echar mano de su herencia, esa tremenda e insondable herencia que tenemos debido a la cruz de nuestro Señor. Este pasaje nos habla de los privilegios de hijos, así como de la responsabilidad de seguir el ejemplo de Cristo, aún y si esto significa el padecimiento físico y aún la muerte. Nuestra relación con nuestro Padre celestial trasciende esta vida, pues por ello es que seremos glorificados, hechos a la semejanza del Hijo de Dios. Está escrito: «Porque si fuimos plantados juntamente con él en la semejanza de su muerte, así también lo seremos en la de su resurrección» (Rom. 6:5).

Otro de los aspectos importantes de la relación Padre-hijo que tenemos con Dios, es nuestra dependencia de Él. Uno de los mandamientos de Cristo fue este: «Y no llaméis padre vuestro a nadie en la tierra; porque uno es vuestro Padre, el que está en los cielos» (Mt. 23:9). ¿Por qué? Porque un padre es aquel de quien dependemos. Dios quiere que dependamos exclusivamente de Él. No desea que creyéndonos independientes, lo olvidemos y menospreciemos sus cuidados.

Ninguno en la tierra es digno de que le llamemos *padre nuestro*; porque, aunque tengamos un padre terrenal —aquel que nos instruye, alimenta y protege en nuestra edad temprana—, si somos salvos, Dios siempre será nuestro Padre, y podemos acercarnos a su trono con toda confianza y seguridad al depender directamente de Él.

Llega un momento en que nuestro padre terrenal deja que nosotros nos valgamos por nosotros mismos, y sería vergonzoso que alguno que, teniendo suficiente edad, continuara dependiendo de su padre terrenal. Sin embargo, con nuestro Padre celestial no sucede así, sino por el contrario, el Señor desea que vayamos a Él todos los días y pacientemente permanezcamos en su presencia como un acto de dependencia de Él exclusivamente.

Padre que estás en los cielos

«Jehová está en su santo templo; Jehová tiene en el cielo su trono; Sus ojos ven, sus párpados examinan a los hijos de los hombres» —Salmos 11:4

Algunos de los más grandes clérigos, cuya ilusión era ir a Roma, la sede del Vaticano, fueron decepcionados después de recorrer sus pasmosos edificios y sus despampanantes esculturas y obras de arte. Otros que fueron a la Meca o aún a Jerusalén, capitales de grandes religiones, pudieron sentirse vacíos en su interior después de su experiencia, pero una cosa puedo afirmar: usted jamás será decepcionado al ir a la sede del único Dios: el cielo.

¿Cómo podemos ir al cielo estando en la tierra? Nacimos terrenos, somos ciudadanos en lo natural de este planeta en que vivimos, pero mediante la sangre preciosa de Cristo, fuimos constituidos ciudadanos del cielo también. Está escrito: «Mas nuestra ciudadanía está en los cielos, de donde también esperamos al Salvador, al Señor Jesucristo» (Fil. 3:20). Como ciudadanos del cielo, podemos ir diariamente al lugar de nuestra nueva ciudadanía y orar a nuestro Padre celestial.

Piense en la gloria de Dios cuando dobla sus rodillas y se pone en contacto con el Dueño del cielo, aquel gran Dios y Salvador que ha establecido en los cielos su trono. La Biblia nos dice: «Jehová dijo así: El cielo es mi trono, y la tierra estrado de mis pies» (Is. 66:1). Pensar en el gran trono de Dios es nuestra entrada a su presencia. Isaías tuvo esa experiencia cuando vio aquella tremenda visión expresada en el capítulo seis de su libro. «Vi yo al Señor sentado sobre un trono alto y sublime, y sus faldas llenaban el templo» (Is. 6:1).

Contemplar el trono de Dios es el motor que mueve nuestra adoración más sublime. Cuando nos presentamos ante el Señor Dios Todopoderoso debemos conectarnos con Él pensando que estamos arrodillados ante su trono en los cielos, aunque físicamente estemos en la tierra.

No vamos ante un gobernante terrenal, quien bien puede mandarnos con las manos vacías; que puede o no mostrar misericordia, que puede o no hacernos justicia, que puede o no resolver nuestros problemas... ¡No! Vamos ante la estancia más alta del universo, al mismo trono del Dios Altísimo, en donde siempre encontraremos misericordia, indescriptible paz, total seguridad, sanidad, liberación y todo cuanto necesitemos como seres humanos.

Vamos con respeto, temor y temblor, poniendo toda nuestra reverencia y concentración. No es que nos presentamos ante un ser humano de importancia morador de esta tierra, pero nos presentamos ante el mismo Autor de la vida, el que sustenta todas las cosas con la palabra de su poder. Aquel que tiene a su mando millones de millones de ángeles y cuyos adoradores no tienen número.

El reconocimiento de la total supremacía de Dios en nuestra vida, es esto, que Él ocupa el primer lugar en nosotros, que Él es nuestro Señor, es el principio de nuestra adoración personal.

Santificado sea tu nombre

«Santificad a Dios el Señor en vuestros corazones...» —1 Pedro 3:15

Santificar es lo contrario a profanar, y profanar es tratar un lugar, persona u objeto santo con irrespetuosidad. Cada vez que vamos a la presencia de Dios debemos recordar que nuestro propio cuerpo es templo del Espíritu Santo y que el lugar en donde estemos, por más sencillo que sea, se convierte en un lugar santo para la gloria de Dios.

Santificar nuestro corazón es no permitir que entre ninguna especie de pecado a nuestra alma. Así como Dios nos ordena santificar nuestro cuerpo —el cual tenemos la responsabilidad de mantener libre de toda enfermedad—, así nosotros somos custodios de nuestro propio corazón.

Santificar a Dios es presentar cuentas a Dios de nosotros mismos y de aquello que Él nos ha confiado. Somos de su propiedad y administradores de lo suyo ahora. Pues mientras el gran nombre de Dios ha sido profanado entre las naciones (Ez. 36:23), nosotros levantamos en alto el nombre del Señor Todopoderoso para su gloria y honor. Es por eso que la Biblia nos dice en la segunda parte de este versículo de 1 Pedro 3:15, que estemos siempre preparados para presentar defensa acerca de la esperanza que hay en nosotros. Presentar a Cristo y recomendarlo como Señor, sanador, libertador y restaurador es santificarlo.

Por tanto, santificar al Señor es darle honor y honra cuando estemos adorando; es considerarnos a nosotros mismos como de su propiedad; y cuidar todo detalle para que nuestra oración sea acepta delante de su trono sublime.

Así como vamos con pulcritud y todo aseo a ver una gran personalidad en esta tierra, debemos mostrar gran respeto ante el trono sublime del Todopoderoso. Alguien podrá decir que las prácticas religiosas son secundarias, pero una actitud reverente y humilde delante del Señor nos abrirá las puertas a una oración agradable ante sus ojos.

No toda oración será agradable ante Dios. Proverbios 28:9 nos revela que la oración de alguno puede tornarse hasta abominable ante los ojos de Dios, por tanto, nosotros procuramos que nuestra oración, por el contrario, sea el deleite y gozo del Señor, pues el Santo Libro de Dios nos dice: «La oración de los rectos es su gozo» (Prov. 15:8).

Santificar al Señor es reconocer su santidad. Para santificar al Señor debemos de afinar nuestro espíritu, afinar nuestra fe. Cuando una persona está en un fabuloso templo echo por manos humanas, es relativamente fácil tener respeto y reverencia en su interior, y ese sentimiento muchas veces obedece a un mero sentido religioso dentro de nosotros. Pero Dios quiere que andemos por fe y no por vista. El Señor quiere que le veamos con nuestros ojos espirituales y digamos: «Santo, santo, santo es el Señor Dios Todopoderoso, el que era, el que es, y el que ha de venir» (Apo. 4:8). Dios quiere que le veamos como Isaías en su visión de llamamiento, que veamos por la fe aquellos serafines que él vio, y que como ellos exclamemos: «Santo, santo, santo, Jehová de los ejércitos; toda la tierra está llena de su gloria» (Is. 6:3).

No se necesita un templo hecho de oro y marfil para ver al Señor en su trono alto y sublime, Dios no habita en templos hechos de manos, más bien Él quiere que le adoremos, que le digamos que Él es santo. Mencione vez tras vez que Él es santo, hágalo ahora mismo mientras está leyendo estas líneas.

Nuestro Dios es santo, toda la tierra está llena de su gloria. Su creación misma es gloriosa, porque lleva el sello de perfección del Todopoderoso. Si está orando en la sala de su casa, o si lo hace en su propia recámara, aun si lo hace en el baño o en el clóset, cualquier lugar que usted haya elegido como su lugar secreto de oración se ha convertido en un santuario donde el Señor le visitará. Procure que el lugar esté tan limpio y quieto como sea posible, procure que sea lo más privado que se pueda, pues ese lugar es santo cuando usted santifica el nombre de Dios en él, y su cuerpo mismo, el suyo amado lector, se convierte en el lugar santísimo donde Cristo, nuestro gran Sumo Sacerdote entra para ministrar y servir en nuestra representación. ¡Qué maravilloso es estar en la presencia de Dios!

Santificar el nombre de Dios es también reconocer el misterio de su santidad. Un Ser tan sublime como el que adoramos no puede explicarse con nada. Ninguna frase o palabra podrá explicar su pureza y perfección absoluta. Nuestras mentes finitas jamás podrían describir su santidad inalcanzable. Nosotros fuimos hecho santos por causa de la santificación efectuada por Cristo, pero hablar de la santidad absoluta de Dios es otra cosa. Nuestro Dios es santo, y esa santidad es algo que nos llena de admiración, reverencia y enorme respeto, pero que jamás la entenderemos.

Finalmente, cuando decimos al Señor que Él es santo nos santificamos a nosotros mismos, tal como lo dicen las Escrituras: «Y no profanéis mi santo nombre, para que yo sea santificado en medio de los hijos de Israel. Yo Jehová que os santifico» (Lev. 22:32).

Cada vez que vaya a orar santifique el temible y todopoderoso nombre de nuestro gran Dios. Él y sólo Él es tres veces santo y toda la tierra está llena de su gloria. ¡Hágalo ahora mismo!

Adorar es decir *aleluya*

«Y los veinticuatro ancianos y los cuatro seres vivientes se postraron en tierra y adoraron a Dios, que estaba sentado en el trono, y decían: ¡Amén! ¡Aleluya!» —
Apocalipsis 19:4

La palabra *aleluya* se menciona solamente veintiséis veces en la Biblia. Veintidós de ellas en los salmos y tan sólo cuatro veces en el libro de Apocalipsis. En ningún otro libro de la Biblia se menciona. Sin embargo, aún y que no se menciona tanto como otras palabras claves dentro de la doctrina cristiana, esta palabra tiene un enorme significado cuando se trata de adorar al Dios vivo y verdadero.

Su significado es «alabado sea Dios», y es una expresión de regocijo delante de su presencia. De forma natural, los redimidos con la sangre preciosa de Cristo, tienen la palabra *aleluya* como su palabra predilecta, como una manera de adorar al Señor. Mientras que para los impíos la palabra *aleluya* carece de significado, e incluso para algunos es usada para blasfemar el nombre de Dios, para nosotros es una de las palabras más poderosas de conexión que tenemos con el Señor.

En el cielo es la palabra que más se menciona. Nos dice la palabra de Dios que los veinticuatro ancianos que están en la presencia de Dios adoran de continúo postrándose sobre sus rostros en tierra y diciendo: «¡Amén! ¡Aleluya!» Ésta es una poderosa manera de adorar. Luego ordena el Señor: «Y salió del trono una voz que decía: Alabad a nuestro Dios todos sus siervos, y los que le teméis, así pequeños como grandes» (Apo. 19:5).

Es una orden de Dios y una necesidad, como también lo dice Juan 4:24, «Dios es Espíritu; y los que le adoran, en espíritu y en verdad es necesario que adoren». Todos los hijos de Dios necesitamos alabar y adorar al Señor, tanto pequeños como grandes. Hay siervos pequeños y siervos grandes, pero la forma en que el Señor evalúa a sus siervos es medida por su carácter de humildad y servicio (Mt. 20:26), y no por la fama o los logros humanos que posean. Todos necesitamos adorar al Rey de reyes y Señor de señores diciendo: «¡Aleluya!». En algunos círculos cristianos parece no mencionarse casi nunca esta palabra, ni aún en los cultos, pero vemos que esta palabra es la que usan en el cielo para la adoración, y en muchos salmos —para la adoración en la tierra— se usa también. Acostúmbrese a decir la palabra ¡ *Aleluya*! si es que quiere participar de la reunión con los redimidos. Digo esto porque parece que algunos se avergüenzan en nuestros días de decirla. Algunos se atreven a decir que es una palabra demasiado religiosa, sin embargo, los redimidos decimos: «¡Aleluya! ¡Nuestro Dios Todopoderoso reina!» (Apo. 19:6).

Aquella multitud mencionada en Apocalipsis está constituida de hijos de Dios. No olvide constantemente adorar a Dios mencionando la palabra *¡aleluya!* Dígala con júbilo y brío. Dígala como si ya estuviéramos viviendo ese momento al estar reunidos con todos los demás siervos de Dios cantando y adorando juntos. Ese será un momento maravilloso, pero podemos empezar a vivirlo aquí, cuando adoramos al Señor en espíritu y en verdad.

Adorar en espíritu

«Dios es Espíritu; y los que le adoran, en espíritu y en verdad es necesario que adoren» —Juan 4:24

Cuando estamos en oración es indispensable la conexión de nuestro espíritu con el Espíritu del Señor. Necesitamos conectarnos con el Padre celestial. Siendo que Dios es espíritu, nuestra conexión con Él es mediante nuestro espíritu, el espíritu del ser humano.

Cuando una persona aún no ha conocido a Cristo nunca podrá conectarse con el Señor porque su espíritu está muerto. Por eso es que la Palabra nos dice: «Y él os dio vida a vosotros, cuando estabais muertos en vuestros delitos y pecados» (Ef. 2:1). Y eso de *darnos vida* significa que algo en nosotros estaba muerto; y esto solo puede ser nuestro espíritu, nuestra conexión con Dios. Sin embargo, cuando venimos al Señor, nuestro espíritu vuelve a vivir; a esto se refiere el Señor cuando conversa con Nicodemo en el capítulo tres de Juan. Esto es entonces una experiencia maravillosa y mística a la que Él ha llamado *el nuevo nacimiento*. «El que no naciere de agua y del Espíritu...» (Jn. 3:5).

El nacimiento del agua es algo físico, lo que es nacido de la carne, carne es, pero lo que es nacido de Dios, espíritu es. «Así también está escrito: Fue hecho el primer hombre Adán alma viviente; el postrer Adán, espíritu vivificante» (1 Cor. 15:45). Nacimos en Dios, nacimos de Cristo, el postrer Adán, el Hombre que vino a dar vida a la humanidad.

Así, en la medida en que nuestro espíritu esté más vivificado, más fácil será conectarnos con Dios. Observo algunos que tienen dificultades para conectarse con Dios en la oración. Esto significa que no adoran habitualmente, que su espíritu no está vivo lo suficiente, o que aún se han desconectado totalmente del Señor. ¡Que nunca ocurra tal cosa!, ¡que mantengamos siempre fresca nuestra conexión con el Señor! Dios quiere que le adoremos con nuestro espíritu, no con nuestro intelecto meramente, ni siquiera con nuestros sentimientos. Se trata de nuestro espíritu, aquel que en la Palabra afinamos y vivificamos. Nos dice la

Biblia: «El espíritu es el que da vida; la carne para nada aprovecha; las palabras que yo os he hablado son espíritu y son vida» (Jn. 6:63).

Cuando adoramos, el Espíritu del Señor y nuestro espíritu encuentran su canal de conexión más fácil y confiable. Es el momento más poderoso de nuestro día porque encontramos una afinidad maravillosa con nuestro Amado. Ahí es donde Dios forja nuestra imagen cada vez más a la de Cristo, por eso está escrito: «Por tanto, nosotros todos, mirando a cara descubierta como en un espejo la gloria del Señor, somos transformados de gloria en gloria en la misma imagen, como por el Espíritu del Señor» (2 Cor. 3:18). Cada vez que miramos la gloria del Señor por el Espíritu, esa misma gloria reflejada en nosotros nos transforma a su imagen.

Todos los más grandes hombres y mujeres de Dios han sido grandes adoradores. Esa calidad de adoración existe únicamente a través del espíritu. Los que adoran a dioses falsos, los que los seres humanos han adorado y adoran fuera del único y verdadero Dios, no pueden adorar en el espíritu. Ellos adoran con el intelecto, con una mente corrompida, depravada, torcida y engañada por demonios. Ellos adoran con sentimientos nocivos, llenos de egoísmo y deseos mundanos: falso amor, lujuria, codicia, envidia, hipocresía... Pero ninguno de ellos sabe (ni puede adorar) con el espíritu. Únicamente los verdaderos adoradores del Dios vivo pueden adorar usando como vehículo y punto de contacto *el hombre de más adentro*, como lo llamó Watchman Nee, el espíritu humano.

Adorar en verdad

«Santifícalos en tu verdad; tu palabra es verdad» —Juan 17:17

Muchas definiciones se han dado de la palabra *verdad*. Los filósofos han escrito libros enteros para describir esa palabra tan fascinante. Los científicos, parcamente, se conforman con aquello que pueda comprobarse por el método científico y que le llaman *verdad universal*. Sin embargo, Cristo ha sido el único en toda la historia humana que ha dicho que la verdad es Él mismo. Él no vino a enseñar *una verdad*, Él vino a declararse como la verdad en persona. ¿Quién puede ver la verdad? Todo aquel que ha conocido a Cristo se ha encontrado y ha conocido la verdad.

Cristo es su Palabra y su Palabra es Cristo. Orar en verdad es orar viendo a Cristo. Orar y adorar en verdad es abrir las Escrituras, y basarse en ellas para hablar con Dios. Nuestra vida es de adoración cuando vivimos conforme a la palabra de Dios. Somos santificados cuando la palabra de Dios es encarnada en nosotros. Cristo era la verdad en persona, porque observar la vida de Cristo era como leer la Biblia. ¿Quién de entre los que nos conocen puede decir lo mismo de nosotros? ¿Quién puede decir, «cuando le observo es como leer la Biblia»? Ese es ser un verdadero adorador.

Nuestra oración por tanto debe estar inmersa en la palabra de Dios. El Espíritu Santo viene y nos recuerda aquello que sirve como un fundamento para nuestras palabras ante el Todopoderoso. Entonces empezamos a adorar y cantar como Moisés: «Grandes y maravillosas son tus obras, Señor Dios Todopoderoso; justos y verdaderos son tus caminos, Rey de los santos.[4] ¿Quién no te temerá, oh Señor, y glorificará tu nombre? Pues sólo tú eres santo; por lo cual todas las naciones vendrán y te adorarán...» (Apo. 15:3-4). Entonces el Señor nos recuerda algunas de sus palabras en los salmos, por ejemplo, estas que dicen: «Señor, tu nos has sido refugio De generación en generación. Antes de que naciesen los montes Y formases la tierra y el mundo, Desde el siglo y hasta el siglo, tú eres Dios. Vuelves al hombre hasta ser quebrantado, Y dices: Convertíos, hijos de los hombres. Porque mil años son delante de tus ojos Son como el día de ayer, que pasó, Y como una de las vigilias de la noche. Los arrebatas como con torrente de aguas; son como un sueño, Como la hierba que crece en la mañana. En la mañana florece y crece; A la tarde es cortada, y se seca» (Sal. 90:1-6). Luego seguimos meditando en las Escrituras mientras adoramos, y llegan otros muchos pasajes de adoración, y otros los personalizamos: «Tú, que tienes la llave de la casa de David sobre tu hombro; que abres y nadie cerrará, que cierras y ninguno podrá abrir» (Is. 22:22, personalizado). O este otro: «Jehová, tú eres mi Dios; te exaltaré, alabaré tu nombre, porque has hecho maravillas; tus consejos antiguos son verdad y firmeza» (Is. 25:1).

A medida que mencionamos la poderosa palabra de Dios vamos avanzando en fe. La fe, que una vez estuvo como una semilla dentro de nuestra mente, en el proceso milagroso del Espíritu, pasa al corazón y germina para crecer. Es entonces que la palabra de Dios alcanza su máximo significado, cuando se convierte en la fuerza motriz de nuestras acciones, palabras y pensamientos.

La adoración en verdad es adoración en la Palabra y adoración en fe. Es adorar en certeza plena. «Nosotros adoramos lo que sabemos» (Jn. 4:22). Una adoración que no nace simplemente de un convencimiento intelectual o de una racionalidad (aunque nuestra adoración es un culto racional), sino de una certeza de todo nuestro ser. Tal como lo dijo el salmista: «Mi corazón y mi carne cantan al Dios vivo» (Sal. 84:2). Nacen de una certeza del alma y del espíritu, en donde aún las células inteligentes de nuestro propio cuerpo cooperan en ella.

Adoración de acción de gracias

«A ti, oh Dios de mis padres, te doy gracias y te alabo, porque me has dado sabiduría y fuerza, y ahora me has revelado lo que te pedimos; pues nos has dado a conocer el asunto del rey» —Daniel 2:23

Una de las cosas más importantes cuando estamos orando en el primer tema de la oración de Cristo es dar gracias al Señor por todo.

Daniel daba gracias a Dios tres veces al día, postrándose de cara a Jerusalén, con las puertas de su ventana abiertas. De esta manera él adoraba y daba gracias (Dn. 6:10). Decía en su oración: «Te doy gracias por la sabiduría y fuerza que me das» (parafraseado).

En Cristo tenemos también la sabiduría que necesitamos para vivir una vida de éxito. Una vida de éxito es aquella que cumple su propósito delante del Señor. Tenemos, no la sabiduría de este mundo que perece, sino la del Espíritu de Dios. Pablo lo explica de este modo:

> «[Sabiduría,] la que ninguno de los príncipes de este siglo conoció; porque si la hubieran conocido, nunca habrían crucificado al Señor de gloria.[9] Antes bien, como está escrito: Cosas que ojo no vio, ni oído oyó, Ni han subido en corazón de hombre, Son las que Dios ha preparado para los que le aman.[10] Pero Dios nos las reveló a nosotros por el Espíritu; porque el Espíritu todo lo escudriña, aún lo profundo de Dios» (1 Cor. 2:8-10).

Dios reservó una sabiduría divina para sus hijos, la cual por el Espíritu de Dios nos es revelada. Esa sabiduría consiste en cosas que jamás se vieron ni se escucharon antes. Daniel anheló escucharlas y oírlas, como dijo luego Cristo: «Porque de cierto os digo, que muchos profetas y justos desearon ver lo que veis, y no lo vieron; y oír lo que oís, y no lo oyeron» (Mt. 13:17).

La sabiduría de Dios nos indica lo que es bueno, lo que debemos seguir. La bondad de Dios está descifrada en las Escrituras; sus mandamientos y promesas; sus caminos y sus reglas; todo lo necesario para el buen andar está ahí.

Asimismo, agradecemos al Señor por la fuerza que Él nos dio. Pablo decía: «Doy gracias al que me fortaleció, a Cristo Jesús nuestro Señor, porque me tuvo por fiel, poniéndome en el ministerio» (1 Ti. 1:12). La fuerza espiritual es a la que se refiere Pablo, pues en otra parte dice: «Porque Cristo, cuando aún éramos débiles, a su tiempo murió por los impíos» (Rom. 5:6). La santidad es la fuerza que nos mantiene en pie, la fuerza que viene de Dios, que nos ha sido otorgada en Cristo.

En nuestra oración damos gracias al Señor por los dones espirituales que hemos recibido de Él. Nos salvó; fuimos hechos siervos de Dios, pues está escrito: «Mas ahora que habéis sido libertados del pecado y hechos siervos de Dios, tenéis por vuestro fruto la santificación, y como fin, la vida eterna» (Rom. 6:22). Por tanto, hemos sido hechos santos por causa de que nos salvó, pues la santificación es un fruto simple de la verdadera salvación. «Mas ya habéis sido lavados, ya habéis sido santificados, ya habéis sido justificados en el nombre del Señor Jesús, y por el Espíritu de nuestro Dios» (1 Cor. 6:11).

Hemos sido salvos, y por ello fuimos constituidos santos, justificados y redimidos (1 Cor. 1:30) y este es el regalo más grande que hayamos recibido jamás. Estamos agradecidos cada día con el Señor, porque somos salvos de nuestros pecados y del infierno, de la condenación eterna.

Los regalos espirituales no terminan ahí, pues tenemos de Dios el fruto del Espíritu, luego los llamados dones del Espíritu (mencionados en 1 Corintios 12); finalmente, el llamado al ministerio, a servir a Dios en distintos niveles de servicio.

Agradecemos asimismo al Señor por la vida física, por la oportunidad de generar galardón en la vida eterna, por la capacidad para difundir su Palabra, y relacionarnos con otros para hacerlos crecer. Pablo lo dice de su carta a los Corintios: «Porque en todas las cosas fuisteis enriquecidos en él, en toda palabra y en toda ciencia» (1 Cor. 1:5). Pablo también daba gracias por la gracia de Dios que fue otorgada a los corintios (1 Cor. 1:4).

Agradecemos al Señor por la vida de los demás, de la gente de Dios que nos rodea, que nos ministra, que nos enriquece con conocimiento de Dios, por la luz que ha sido depositada en ellos y que nos es transmitida a nosotros.

Por la gente que sirve de instrumento del Señor para que sean dadas gracias a Dios, pues está escrito: «Para que estéis enriquecidos en toda liberalidad, la cual produce por medio de nosotros acción de gracias a Dios.[12] Porque la ministración de este servicio no solamente suple lo que a los santos falta, sino que también abunda en muchas acciones de gracias a Dios» (2 Cor. 9:11-12). Cada vez que nosotros bendecimos a un hijo y siervo de Dios, estamos generando acciones de gracias.

De la misma manera damos gracias por el sustento, por la provisión económica tan necesaria para el cuerpo y el estado de ánimo. «El dinero sirve para todo», dice el predicador en Eclesiastés 10:19, y Dios sabe de las cosas que tenemos necesidad (Mt. 6:8). De aquello por lo que oramos anteriormente y que Dios ya nos ha contestado damos gracias, pero también tenemos que agradecer respecto a aquello que esperamos recibir por la fe.

Abundamos en acciones de gracias al Señor, pues así lo ordena la Palabra: «Arraigados y sobreedificados en él, y confirmados en la fe, así como habéis sido enseñados, abundando en acciones de gracias» (Col. 2:7). Otro pasaje dice: «Dad gracias en todo, porque esta es la voluntad de Dios para con vosotros en Cristo Jesús» (1 Ts. 5:18).

Cuando damos gracias a Dios estamos sembrando el camino para recibir más del Señor, pues éste es uno de los elementos más importantes de nuestra adoración.

Oración en el Espíritu

«En Frigia y Panfilia, en Egipto y en las regiones de África más allá de Cirene, y romanos aquí residentes, tanto judíos como prosélitos, "cretenses y árabes, les oímos hablar en nuestras lenguas las maravillas de Dios» —Hechos 2:10-11

Otra manera en que podemos adorar a Dios en nuestra oración es por medio del don de lenguas. Cuando aquellos ciento veinte estaban reunidos en el aposento alto, orando unánimes y juntos, Dios les envió la promesa dada muchos años atrás; aquella profetizada por Joel (Joel 2:28-30) y luego confirmada por Cristo: el bautismo en el Espíritu Santo. Cuando ellos recibieron la bendición de lo alto, empezaron a hablar en otras lenguas, según el Espíritu les daba que hablasen. Y estas lenguas eran las que hablaban los judíos de la diáspora ahí presentes. ¿Y qué era lo que los discípulos hablaban? La Biblia nos dice que ellos hablaban por el Espíritu las maravillas de Dios (Hch. 2:11).

De la misma manera, cuando nos ha sido dado el don de lenguas, podemos hablar las maravillas de Dios y adorarlo mediante aquello que el Espíritu nos da para hablar. Esta es la oración en el Espíritu a la que hace referencia Judas: «Pero vosotros, amados, edificándoos sobre vuestra santísima fe, orando en el Espíritu Santo» (Jud. 1:20).

Esta es una de las oraciones climácicas de nuestra adoración. Cuando nos convertimos en un canal del fluir del Espíritu en nosotros, y aunque nuestro entendimiento quede sin fruto, nuestro espíritu se edifica en gran manera. Dice el apóstol San Pablo: «¿Qué, pues? Oraré con el espíritu, pero oraré también con el entendimiento; cantaré con el espíritu, pero cantaré también con el entendimiento» (1 Cor. 14:15).

Podemos orar con el entendimiento, pero también deberíamos echar mano de la oración en el Espíritu, porque cuando oramos en el Espíritu, hablamos misterios, pero nuestro espíritu crece, nos llenamos de Dios y el Señor se manifiesta a nosotros. Ésta era la práctica habitual de Pablo en la oración, pues dice: «Doy gracias a Dios que hablo en lenguas más que todos vosotros» (1 Cor.14:18).

Asimismo, se puede cantar con el entendimiento, pero también cantar en el Espíritu. Es maravilloso cuando combinamos todos estos elementos en la primera fase de la oración de Cristo, la adoración.

Adoración por medio de cánticos

«Lleguemos ante su presencia con alabanza; Aclamémosle con cánticos» —(Sal. 95:2)

No debemos olvidar incluir en nuestra adoración, la primera fase de nuestra comunión con el Señor, nuestros cánticos. Éstos son cánticos de liberación (Sal. 32:7), los cánticos de los estatutos del Señor (Sal. 119:54). Éstos son los cánticos espirituales a los que Pablo se refiere en Efesios 5:19, aquellos cánticos incluidos en nuestra oración, que exaltan y alaban al único Dios verdadero. Hoy en día existen muchos cantantes que cantan a muchas causas, temas y personalidades. Nosotros cantamos al Señor, le adoramos por medio de nuestro canto, pues cantar es orar. Nuestro cántico espiritual nos conecta con el Altísimo.

Dios está en medio de las alabanzas de su pueblo. Dice David, «aclamadle con cánticos», lleguemos a su presencia con alabanza en nuestra boca. Cantemos al Señor. Podemos cantar en voz alta o podemos cantar tan sólo en nuestros corazones —según tengamos oportunidad—, pero la música que sale de nuestros labios en conjugación con palabras que realzan la magnificencia de nuestro Dios se convierte en una adoración poderosa en su presencia.

La Biblia nos enseña que la alabanza es un arma poderosa contra nuestros enemigos espirituales. El pasaje de 2 Crónicas que narra lo que ocurrió con Ezequías y otros pasajes, tales como el del pueblo de Israel cuando rodeó las murallas de Jericó, o cuando Pablo y Silas oraban cantando al Señor en Hechos 16, confirman esta verdad.

No es necesario cantar un cántico conocido al Señor, también podemos cantar un cántico nuevo mientras oramos. Está escrito: «Cantad a Jehová cántico nuevo; Cantad a Jehová toda la tierra» (Sal. 96:1). En ese momento el Espíritu Santo nos da un cántico distinto que será cantado única y exclusivamente para el Señor. No importa que luego no recordemos lo que hubimos cantado, fue una ofrenda exclusivamente para el Señor.

Nuestra ofrenda de labios, la que lo exalta y glorifica exclusivamente a Él.

Algunos en nuestros días pudieren tener objetivos distintos al cantar dentro de las paredes de un templo, pero normalmente, cuando cantamos en lo privado de nuestra oración, nuestro propósito se purifica: estamos adorando a nuestro amado Señor, eso y solamente eso. Todo aquel que canta en la iglesia, o que tiene un ministerio musical en la iglesia debería siempre practicar este tipo de oración, pues si no es de esta manera, ¿cómo podrían cantar con la unción de Dios en público?

Ofrenda de labios

«Así que, ofrezcamos siempre a Dios, por medio de él, sacrificio de alabanza, es decir, fruto de labios que confiesan su nombre» —Hebreos 13:15

Los verdaderos adoradores adoran al Señor porque les es una necesidad. Los que adoran lo hacen en espíritu y lo hacen en verdad. Los que lo adoran lo hacen con el entendimiento, pero también en el Espíritu. Cantan con el Espíritu, pero también con el entendimiento. Adoran santificando el nombre del Señor; adoran a su Padre, Aquel que está en lo sublime de los cielos, con todo poder y autoridad, cuya supremacía sobrepasa todo. Del corazón se desbordan innumerables aleluyas; solemne y reverentemente dicen: ¡Santo, santo, santo, es el Señor Dios Todopoderoso, el que era, el que es, y el que ha de venir! Los verdaderos adoradores están agradecidos, viven agradecidos, no importa lo que vivan, toda ocasión les es familiar a las bendiciones de Dios y un pretexto para dar gracias y postrarse.

Los verdaderos adoradores ofrecen sacrificio a Dios. No el sacrificio ordenado por Dios en el Antiguo Testamento, sino el de sus propios labios; de lo que clama desde lo profundo del alma y que se ofrece voluntariamente. Las Escrituras les sirven de fundamento para su adoración y las esgriman contra el diablo venciéndole una y otra vez.

Nuestra adoración es el fruto de nuestra vida cristiana, lo que nos distingue de los simples mortales, del hombre natural que no discierne lo que pertenece al Espíritu, por ello es que está en el primer plano de nuestra conversación con el Señor. Lleguemos a su presencia con adoración, con eso y nada más que eso; no por otro sendero, ni por otra vertiente. Esta es la puerta a su presencia, una presencia repleta de luz.

Podríamos de pronto, abrumados por algún ataque o amenaza del diablo, saltarnos al asunto que nos preocupa sin siquiera recordar la bondad de nuestro Dios. Pero entonces, podríamos correr el riesgo de estar saltando al foso de los leones sin los ángeles que les tapan sus bocas. Pues Daniel, en el furor de la amenaza satánica, se volvió a encerrar en su habitación, abrió los ventanales que daban a Jerusalén e hizo lo que solía hacer siempre tres veces al día: adorar. Oraba dando gracias (Daniel 6:10), y esta vez ¿cuál sería el motivo de su agradecimiento? Daniel no veía su cuerpo despedazado por los leones, no veía terminar sus días como un fracasado o uno que satanás simplemente quitó del camino como si fuera un bulto ligero, Daniel veía una promoción. Dios le quería dar la segunda posición más importante en el reino de Darío —el reino más poderoso del mundo de aquel entonces—, y ese era el motivo de su agradecimiento, luego de escuchar el vocifero demoniaco.

Adorar es confiar tranquilamente en el Señor y continuar creyendo que la bondad del Señor continúa aún encima de las crisis u opresiones de nuestros enemigos. Por ello es que exclamó David: «Diré a Dios: Roca mía, ¿por qué te has olvidado de mí? ¿Por qué andaré yo enlutado por la opresión del enemigo?» (Sal. 42:9).

Durante nuestra adoración intercedemos y damos gracias por la vida de otros. También dejamos que el Espíritu nos tome, que derrame sus regalos y virtudes, que nos llene de su potencia y gracia. El diablo no quiere que adoremos y desde el primer segundo en que estamos de rodillas lanzará toda sarta de mentiras para impedirlo, pero le resistimos valientemente en el poderoso nombre de Jesús de Nazaret de Galilea para hacerle huir.

Enamore al Señor

«Te amo, oh Jehová, fortaleza mía. ² Jehová, roca mía y castillo mío, y mi libertador; Dios mío, fortaleza mía, en él confiaré; Mi escudo, y la fuerza de mi salvación, mi alto refugio» —Salmos 18:1-2

Otro de los más grandes objetivos al entrar a la presencia de Dios con adoración es buscar su rostro primero. Antes que pedir nada, es necesario ganar su corazón, mostrarle el amor que sentimos por Él. Porque Él nos amó primero es que lo amamos; porque Él nos ha dado todo lo que tenemos y ha preservado nuestras almas. Ninguna necesidad tenía Jesucristo de meterse en los asuntos de la humanidad en pleito con Dios y librarnos de la condenación que muy merecida tuvimos. Ningún asunto tuvo el Señor en ocuparse en mirarnos y tener compasión de nosotros evitando que sirviéramos de combustible a las llamas del infierno. No tuvo ninguna necesidad de padecer lo que padeció siendo totalmente puro e inocente; sin embargo, todo lo hizo por amor. Y si nos ha amado, ¿habremos de amarlo a Él? Nos sigue mostrando su amor todos los días y nosotros, ¿ habremos de decirle todo lo que pensamos y sentimos respecto a sus actos y palabras? ¿Le diremos diariamente lo que pensamos y sentimos respecto a su carácter tan maravilloso?

Por eso es que vamos a nuestro Amado, el que no solamente es nuestro Creador y Redentor, sino también nuestro Esposo. Cristo es el esposo de la iglesia. Y cada mañana vamos a Él para corresponder al amor que Él nos ha demostrado.

Enamoramos su corazón al mencionar su Palabra, aquellas palabras que David utilizó también para Él, las que utilizó Salomón, las de la sunamita para el rey —el nuestro es el Rey de reyes y Señor de señores—. Utilizamos nuestro cántico de amor, nuestras poesías, aquellas palabras de sinceridad nacidas de nuestra alma. Le agradecemos el habernos mirado cuando estuvimos sucios y perdidos en pecados; pues siendo aún pecadores, Él murió por nosotros. Nos perdonó cuando estuvo en la cruz y nos regaló la vida eterna.

Tenemos el privilegio de ir sin impedimentos a su trono de amor y misericordia, y Él se deleita en escucharnos. Nuestra oración se vuelve en su gozo, pues, aunque Él sabe de las cosas que tenemos necesidad, y de todo aquello que después le pediremos, nuestro tiempo de adoración es la preparación del terreno. Pues con sinceridad y viéndole a los ojos, le decimos que no es lo que pedimos lo que nos mueve a conversar con Él en primer lugar, sino lo que ya nos ha dado. Aquella semilla de su amor que ya ha germinado y dado fruto en nuestros corazones.

CAPITULO 2

PROPÓSITO

E s maravilloso saber que cada uno de nosotros tiene un gran propósito que cumplir en Cristo Jesús.

Hubo una ocasión que uno de los más grandes profetas del Antiguo Testamento, Elías, estuvo en lo profundo de un laberinto lamentando su situación y hablando para sí mismo. No oraba —o al menos no nos dicen eso las Escrituras—, más bien, parece que copiara las palabras dictadas por el diablo mismo, y hablaba para sí. La raíz de su estado de ánimo fue recibir una terrible amenaza de muerte. Mientras Daniel, muchos años más tarde, decidió estar quieto y continuar con su vida de adoración como si nada estuviera sucediendo, Elías se atemorizó y huyó para salvar su vida. No es que su vida estuviera en peligro, si no que él pensó que lo estaba. Se levantó, dejó a su criado (el que fue antes de Eliseo) y se fue por el desierto. Luego que hubo caminado un día entero, se sentó debajo de un enebro, el cuál típicamente es un árbol que no crece mucho y que no da mucha sombra, y aparentemente empezó a orar. Su oración no era de Dios, más bien un lamento patético. Elías cayó en una gran depresión. La depresión es una enfermedad diabólica en donde el demonio va tomando terreno hasta que urge a la persona a suicidarse (jamás debemos tomar a la ligera un estado anímico así, ni en otros ni en nosotros mismos). Es entonces que dijo: «Basta ya, oh Jehová, quítame la vida, pues no soy yo mejor que mis padres» (1 R. 19:4).

La gran paciencia y bondad de nuestro Dios se hizo patente enviándole un ángel para alimentarlo. ¡Cuántas veces en nuestra desesperación, el Señor envía ángeles para que nos alienten! Pero Elías, ni aun viendo el ángel de Dios, fue capaz de salir de su condición. El ángel le alimentó dos veces, y en la segunda vez —nos dice la Biblia—, el profeta se fortaleció tanto con aquella comida, que fue capaz de caminar una distancia superior a los cuarenta y dos kilómetros de algún lugar en el desierto de Beerseba hasta el monte Horeb. Imagine usted caminar la distancia del maratón durante cuarenta días después de haber comido una sola torta bajo las brasas. Sin discutir más sobre cómo sería posible un caminar tan lento o qué otras posibilidades hubiera en el trayecto, el caso es que finalmente Elías se encontró metido en una cueva del monte Horeb, el monte de Dios, y es entonces que el Señor mismo le habla para decirle: «¿Qué haces aquí, Elías?» La respuesta del profeta fue una respuesta de información falsa, cuyo trasfondo era un vivo sentimiento de temor. La información falsa decía que él era el único servidor del Señor que estaba con vida; y su temor era que le buscaban para quitarle la vida; en otras palabras, huía del enemigo. Dijo Elías: «He sentido un vivo celo por Jehová Dios de los ejércitos; porque los hijos de Israel han dejado tu pacto, han derribado tus altares, y han matado a espada a tus profetas; y sólo yo he quedado, y me buscan para quitarme la vida» (1 R. 19:10). La razón por la que huía no era por el celo que tuviera a Dios, ni su información acerca de los hijos de Israel era exacta, pues el Señor se había reservado siete mil cuyas rodillas no fueron dobladas ante Baal.

Todo este escenario desemboca en la falta de propósito del profeta. Lo único que Elías necesitaba era que Dios le recordara el propósito que él tenía al andar sobre la tierra: era un profeta de Dios y como profeta, necesitaba cumplir con su llamamiento. La falta de propósito y la frustración en el cumplimiento de éste hará que una persona se deprima y tenga una actitud negativa hacia la vida. Un lugar puede ser el más horrible para vivir del mundo, pero si una persona está cumpliendo su propósito, ese lugar es el mejor en que pudiera estar. Por el contrario, pudiere alguno vivir en un lugar paradisiaco, cuyos comentarios positivos sean incontables, pero si tal persona no está cumpliendo ahí el propósito del Señor para él o ella, es mejor que vaya al lugar correcto.

Dios ha dado talentos, dones y ministerios a todos sus hijos, y por ello que es sumamente importante que cada uno de nosotros avance cada día en cuanto a lo que tenga delegado por Dios a lo largo y ancho de su vida, pues de otra manera, el fantasma de la frustración y los demonios de la depresión estarán cerca para hacer presa de él o ella.

No importa el dinero que tengamos, ni nuestro nivel educacional, ni la comunidad en donde nos desenvolvemos, todo está circunscrito a nuestro propósito para con Dios. Por esta causa, el tema número dos de la oración de Cristo es el tema del propósito. Dios está sumamente interesado en que cumplamos nuestro propósito, pues de otra manera, esto nos impedirá ser felices. Mayormente, la felicidad consiste en sentirse satisfecho de ocupar un lugar dentro del gigantesco plan de Dios para la humanidad, y sentir que estamos desarrollando nuestro potencial al máximo. Por esto oramos y Dios quiere que lo logremos. Él ha definido de antemano nuestras metas, pero también ha provisto recursos y herramientas para lograrlas. Tenemos que librar nuestras propias batallas; tenemos nuestra propia trinchera y nuestro propio cuartel, pero la guerra es de nuestro Dios, todo consiste en defender su nombre y su honor.

Observe lo que dice Cristo Jesús: «Si alguno quiere venir en pos de mí, niéguese a sí mismo, tome su cruz cada día, y sígame» (Lc. 9:23). Al venir a Cristo nosotros tenemos que renunciar a nuestros sueños y metas para tomar los que Dios ha diseñado para nosotros. Este es el significado de negarnos a nosotros mismos. Si alguno se rehúsa a renunciar a sus propios deseos y sueños, de ninguna manera podrá ser hijo o hija de Dios. Luego que hemos renunciado a nosotros mismos, a nuestros planes y deseos de vida, entonces tenemos que tomar nuestra cruz. Nuestra cruz son los planes de Dios para nosotros. Aquello que Él de antemano preparó para que hiciéramos. Está escrito: «Porque somos hechura suya, creados en Cristo Jesús para buenas obras, las cuales Dios preparó de antemano para que anduviésemos en ellas» (Ef. 2:10). La cruz de Cristo, es decir, su propósito —el plan del Padre para Él—, fue que padeciera mucho de los ancianos, de los principales sacerdotes y de los escribas; y fuera muerto, y resucitara al tercer día (Mt. 16:21). De la misma manera, nosotros tenemos nuestro propio diseño de Dios: aquellas obras que Dios preparó de antemano para anduviésemos en ellas, es decir, para que las hagamos. Estas obras son muchísimas y deben ir haciéndose día a día. Cada día debemos avanzar poco a poco en el enorme plan que Dios creó para nosotros. Algunos puedan pensar llevar la cruz de Cristo cuando terminen con sus proyectos primero, pero eso significa que no van en pos de Él. Ése es el problema de muchos, que están esperando terminar cosas que Dios no les ha mandado para empezar luego a hacer aquellas que sí, esto es caminar fuera del plan y propósito de Dios. Es imposible decir que seguimos a Cristo sin tomar nuestra cruz cada día. Si un día no tomamos nuestra cruz y no hacemos un poco del magno plan que Dios nos ha ordenado, ese día estaremos caminando en rebeldía y desobediencia.

La cruz o propósito de cada persona es distinto. No necesariamente la cruz significará sufrimientos y aflicciones, y aunque en el camino al cumplimiento del plan de Dios para nosotros puede haber ciertos sufrimientos que son necesarios (1 P. 1:6), nunca el sufrimiento en sí será un plan de Dios para nadie. El Señor nos advirtió que seguirle implicaría persecución y plenamente nos dice el Espíritu Santo por medio del apóstol Pablo que todos los que quieran vivir piadosamente en Cristo Jesús tendrán que experimentar persecución (2 Ti. 3:12); sin embargo, fuera de lo que sea estrictamente parte del plan del Señor en nuestro camino al tomar nuestra cruz, Dios hizo todas las provisiones para que nuestra vida fuera placentera y feliz. El Señor quiere que nosotros seamos felices al cumplir su plan en nosotros.

Su plan en nosotros está resumido en la *gran comisión*: «Por tanto, id, y haced discípulos a todas las naciones, bautizándolos en el nombre del Padre, y del Hijo, y del Espíritu Santo; [20] enseñándoles que guarden todas las cosas que os he mandado; y he aquí yo estoy con vosotros todos los días, hasta el fin del mundo. Amén» (Mt. 28:19-20). Siempre debemos hacernos esta pregunta: ¿De qué manera lo que estoy haciendo es parte del cumplimiento de la *gran comisión* dada por el Señor Jesús?

Volvamos entonces a la oración modelo y veamos lo que el Señor nos dice acerca de su plan con nosotros.

Venga tu reino

«Confirmando los ánimos de los discípulos, exhortándoles a que permaneciesen en la fe, y diciéndoles: Es necesario que a través de muchas tribulaciones entremos en el reino de Dios» —Hechos 14:22

Que el reino de Dios sea establecido en nosotros es el principio del plan de Dios para cada persona. ¿Cómo podría alguien salvar la vida de otro que se está ahogando sin saber nadar? ¿Podrá lanzarse al agua para arrastrarle a la orilla, a tierra firme? Evidentemente no. No podemos dar lo que no tenemos, no podemos prometer lo que nosotros mismos no hemos alcanzado. Muchos son los llamados, pocos los escogidos. Muchos son los que procuran entrar por la puerta angosta que lleva a la vida, pero sólo los que se esfuerzan a entrar por ella son los que realmente entran. La salvación fue provista para todos los seres humanos; sin embargo, al dotarnos el Creador de una libre voluntad o libre albedrío, existe en nosotros la capacidad de decidir si entrar o no en el reino de Dios.

Hay muchos congregantes de iglesias cristianas en el mundo que son sinceros en sus pretensiones del reino de Dios, pero no están esforzándose por alcanzarlo. Mientras tanto, Cristo continúa diciendo: «Esforzaos a entrar por la puerta angosta; porque os digo que muchos procurarán entrar, y no podrán» (Lc. 13:24). ¿Qué significa esta palabra? ¿Pensamos que si alguien hace la oración del pecador esto será suficiente para alcanzar el reino de Dios? ¡No! Cristo nos dice que entrar al reino de Dios implica esfuerzo. Los apóstoles advirtieron a los discípulos de Listra, Icono y Antioquía que era necesario que a través de muchas tribulaciones entraran en el reino de Dios.

Es entonces que muchos en nuestros días —quienes prefieren las instalaciones acojinadas de templos suntuosos (sin importar el mensaje que ahí se comparta) y que jamás estarían dispuestos a padecer nada por Cristo—, que realmente nunca entrarán al reino de Dios.

Por ello, en primer lugar, Dios quiere que su reino sea establecido en nuestros corazones. El evangelio consiste en tiempos de refrigerio (Hch. 3:19), y de lluvias del cielo y tiempos fructíferos que llenan de sustento y de alegría nuestros corazones

(Hch. 14:17); sin embargo, tenemos que entender que el evangelio también incluye lo que se menciona después en el versículo 22. En nuestra oración pedimos que el reino de Dios se confirme en nuestros corazones, que la palabra que hemos escuchado del Señor sea confirmada en nosotros, que nuestra voluntad sea sometida al Señor y estemos prestos para obedecerlo en todo.

Algunos caminan pensando en que los mandamientos del Señor son tan sólo recomendaciones y jamás se rinden totalmente a Él. Algunos someten ciertas áreas a Dios, pero algunas otras parecen intocables. Otros dicen que «poco a poco» van a ir abrazando la doctrina del evangelio y cambiando sus comportamientos de rebeldía. Pero el reino de Dios es un asunto de obediencia. En un reino hay un rey y en el reino de Dios Cristo reina. ¿Cómo podemos decir que Cristo es nuestro Rey si nosotros, siendo presuntamente sus súbditos, no le obedecemos? ¿Cómo podremos proclamar que tenemos el reino de Dios en nuestros corazones si no caminamos haciendo lo que Él dice? Está escrito: «¿Por qué me llamáis, Señor, Señor, y no hacéis lo que yo digo?» (Lc. 6:46).

No podremos ayudar a nadie si primero el reino de Dios no está totalmente establecido en nosotros; y si acaso logramos empezar a ayudar a alguno, se desanimará luego acerca del Camino al ver nuestra vida inconsecuente. Por tanto, jamás lograremos que el propósito de Dios sea realidad en nosotros si su reino no se establece primero en nuestros corazones.

Debemos dedicar suficiente tiempo pidiendo al Espíritu Santo que traiga a nuestras vidas la vivacidad del reino de Dios.

Que este Reino se cimente como una torre de enorme fuerza que sea capaz de soportar los más atroces torrentes. El Espíritu Santo nos ayuda a ir al corazón infinito del Supremo Ser y extractar de ahí los materiales para construir ese Reino en nosotros. Pues buscar el reino de Dios, es ir a Él para que Él venga. Es un quebrantamiento de nosotros mismos en la roca inconmovible y perene llamada Jesucristo de Nazaret de Galilea. Es un moldeo eficaz del Espíritu Santo que nos sitúa frente a frente, cara a cara, ante nuestra propia realidad para volver el rostro y declarar con lágrimas gruesas nuestra total dependencia del Señor para establecer y mantener la santidad.

Santidad es obediencia, es separación, es exclusividad, es un seguimiento minucioso de las instrucciones divinas, pero no por nosotros sino por Cristo en nosotros. Dejemos que Dios trabaje en nosotros y seamos sensibles a las reglas y leyes del reino de Dios. Porque no hay ninguna persona que podrá ser ciudadana de un país a cuyas leyes rehúsa someterse.

Ser ciudadano del reino de Dios implica someterse a las leyes de Dios aún si esto ofendiere las tradiciones y costumbres sociales. Aún si esto fuere diametralmente en contra de la cultura actual y de los principios que nos fueron inculcados por nuestros antepasados. El escritor de Hebreos dice: «Porque aún no habéis resistido hasta la sangre combatiendo contra el pecado» (Heb. 12:4). Por ello servir al Señor conlleva permanecer en la fe y estar dispuestos a pasar por muchas tribulaciones por causa del reino de Dios. Oremos por fuerza de lo alto, oremos por sabiduría, oremos porque nuestro carácter sea conformado al de Cristo Jesús. Esta es la voluntad de Dios, ese es su magno plan de crecimiento. Está escrito: «Porque a los que antes conoció, también los predestinó para que fuesen hechos conformes a la imagen de su Hijo, para que él sea el primogénito entre muchos hermanos» (Rom. 8:29).

En esta etapa de nuestra oración incluimos en primer lugar nuestra propia vida, para ser ejemplo, para ser verdaderos agentes y representantes del Jesús conocido como de Nazaret de Galilea. Somos representantes autorizados por la sangre del Cordero, al limpiar nuestros pecados y lavar nuestras conciencias de obras muertas. Somos agentes certificados y sellados con el Espíritu Santo de la promesa. Agentes verdaderos y genuinos del cielo. De otra manera seríamos avergonzados por el demonio, de otra manera el demonio se burlaría de nuestra autoridad. Santidad es autoridad. Santidad no es sólo no hacer sino hacer. No es traer una soga con el bordado del logotipo de una religión, es la imagen del Hijo de Dios que satanás está forzado a respetar y temer.

Pasemos ahora a considerar los tres ámbitos en que el reino de Dios se mueve y opera.

El reino de Dios es justicia

«Porque el reino de Dios no es comida ni bebida, sino justicia, paz y gozo en el Espíritu Santo» —Romanos 14:17

Para comprender el reino de Dios tenemos que entender primero que el reino de Dios consiste en justicia. No es lo que el mundo considera justicia sino lo que Dios considera justicia. Tenemos que ir a las palabras de Cristo para entender la justicia de Dios. La justicia del mundo muchas veces podría estar distorsionada y pervertida, y basta tomar de ejemplo las leyes relativas al aborto y a la homosexualidad, tan abrazadas por muchos países en nuestra generación; sin embargo, la justicia de Dios está grabada con letras de oro en las Sagradas Escrituras, como el yunque de la verdad que ningún poderoso martillo jamás podrá romper.

Nuestra ley se resume en las palabras de Cristo, en lo que Él nos ha hablado, pues las Escrituras dicen: «El que me rechaza, y no recibe mis palabras, tiene quien le juzgue; la palabra que he hablado, ella le juzgará en el día postrero» (Jn. 12:48). La base para la justicia de Dios está en las palabras de Cristo.

Evidentemente la justicia de Dios comienza con Cristo en nosotros, cuando el Señor pasa por alto todos nuestros pecados y borra de un solo golpe toda nuestra cuenta. La justicia de Dios comienza cuando crea en nosotros un hombre nuevo, creado según el Hijo de Dios. Un nuevo hombre que fue hecho para caminar en la justicia y santidad de la verdad (Ef. 4:24).

La justicia de Dios no puede descansar en nuestras obras, porque la Biblia nos dice: «Ya que por las obras de la ley ningún ser humano será justificado delante de él» (Rom. 3:20). Sino que la justicia de Dios tiene su fundamento en la principal piedra del ángulo, Jesucristo mismo, su sacrificio perfecto en substitución nuestra, y en su resurrección; esto es lo que completa nuestra justificación ante Dios el Padre (Rom. 4:25).

Luego de ello la justicia de Dios consiste en las palabras de Cristo que son la ley del Nuevo Pacto, cuya ratificación fue su propia sangre (Gal. 3:15, Heb. 9:12; 13:12). Las palabras de Cristo establecen el fundamento y consistencia del Nuevo Pacto, el cual tiene actual vigencia para toda la iglesia en el mundo entero. La justicia de Dios consiste en la obediencia a los mandamientos de Cristo, lo cual demuestra que le amamos realmente. Pues dice la Palabra: «Si me amáis, guardad mis mandamientos» (Jn. 14:15, ver también 1 Jn. 2:3) y «el que no amare al Señor Jesucristo, sea anatema [o maldito]» (1 Cor. 16:22), pues el Señor ya ha venido para establecer los derechos y obligaciones del Nuevo Pacto.

Todo pacto o tratado o acuerdo tiene derechos y obligaciones, por ello, en cuanto al Nuevo Pacto, establecido por el Señor, todo está claramente asentado y registrado en las Escrituras. Los mandamientos de Cristo y todas las promesas y decretos de Dios para nosotros nos han sido revelados en las palabras del Señor.

Fuera de lo dicho por el Señor no hay nada que añadir, ni hay nada que sustraer, pues en esto consiste la justicia de Dios. Para que exista justicia se necesitan dos pares de cosas esenciales. Los legisladores y las leyes, y el juicio y un juez. Isaías nos dice: «Porque Jehová es nuestro juez, Jehová es nuestro legislador, Jehová es nuestro Rey; él mismo nos salvará» (Is. 33:22). De la misma manera Cristo es el Juez, pues está escrito: «Por cuanto ha establecido un día en el cual juzgará al mundo con justicia, por aquel varón a quien designó, dando fe a todos con haberle levantado de los muertos» (Hch. 17:31), también dice: «El juzgará al mundo con justicia, Y a los pueblos con rectitud» (Sal. 9:8).

Todo aquel que ha nacido de nuevo practica por naturaleza la justicia de Dios y oramos que su justicia, que es parte de su reino, se fortalezca y permanezca día con día en nosotros.

El reino de Dios es paz

«A quien asimismo dio Abraham los diezmos de todo; cuyo nombre significa primeramente Rey de justicia, y también Rey de Salem, esto es, Rey de paz» — *Hebreos 7:2*

Podemos estar seguros de que el reino de Dios se ha establecido en nuestro corazón cuando sentimos la paz de Dios inundando nuestro corazón y pensamiento. Nos dice el apóstol Pablo, «Y la paz de Dios, que sobrepasa todo entendimiento, guardará vuestros corazones y vuestros pensamientos en Cristo Jesús» (Fil. 4:7). Es una paz que sobrepasa todo entendimiento porque se desarrolla en medio de toda circunstancia. En medio de la más amenazante tempestad, el hijo e hija de Dios mostrará las cualidades de Cristo, su paz; y así como Él dormía en medio de la adversidad; así nosotros mantendremos la serenidad de un león ante las crisis más severas. Él no se preocupó por lo que estuvo circundándole ni amenazando su seguridad. Esa es la paz que manifiestan los verdaderos hijos de Dios, los que han permitido que el Señor establezca su reino en ellos.

Nehemías, el cual fue un hombre ejemplar en el Antiguo Testamento dijo estas palabras: «¿Un hombre como yo ha de huir?» (Neh. 6:11). David también dijo por el Espíritu Santo: «¿ Por qué andaré yo enlutado por la opresión del enemigo?» (Sal. 42:9), y, «En Jehová he confiado; ¿Cómo decís a mi alma, que escape al monte cual ave?» (Sal. 11:1). Es algo natural que los seres humanos manifestemos agitación cuando algo parezca amenazarnos, pero nosotros no vivimos por vista sino por fe (2 Co. 5:7). No es algo fácil vencer nuestra humanidad y dejar de comportarnos como simples hombres; sin embargo, si nuestro comportamiento no es conforme a la regla del Espíritu, caeremos en el mismo error de los corintios, a quienes el apóstol Pablo les dice: «¿no sois carnales, y andáis como hombres?» (1 Cor. 3:3). Por eso es que oramos, para que el reino de Dios sea en nosotros, para que no andemos como los demás mortales que no conocen a Dios, para vencer lo natural y confiar en el brazo sobrenatural de Dios, descansar en Él y dejar que su paz nos inunde.

Recuerdo aquel famoso himno que dice:

> «En el fondo de mi alma hay una dulce quietud, se difunde embargando mi ser. Es una gracia, infinita que sólo podrán... los amados de Dios comprender. Paz, paz, cuán dulce paz, es aquella que el Padre me da, yo le pido que inunde por siempre mi ser, con sus ondas de amor celestial». —*Wonderful Peace*, W. D. Cornell, Siglo, XIX; Tr. por Vicente Mendoza, 1875 —1955.

El reino de Dios es un reino de paz, y Jesús es el Rey de paz, el Rey de Salem. Y la paz que los habitantes de su reino reciben es una paz misteriosa e ilógica. Es un sentimiento sobrenatural que nos hace actuar en fe encima de cualquier adversidad. Una paz que sujeta nuestra carne y nos permite vivir en el ambiente del Espíritu en donde todo es bonanza, en donde todas las cosas están en su justo sitio, en donde todo opera armónicamente. Esto es el reino de Dios por el cual oramos en el segundo tema de la oración de Cristo.

El reino de Dios es gozo en el Espíritu Santo

«Me mostrarás la senda de la vida; En tu presencia hay plenitud de gozo; Delicias a tu diestra para siempre» —Salmos 16:11

En una ocasión conocí, aún apenas antes de morir, a un hombre que era un gran maestro de la música. Sus notas se escuchaban diariamente. Tocaba el piano tan vibrante y con tanta soltura y brío que llenaba de alegría cuanto recinto estuviese. Lo peculiar de este hombre no era simplemente que fuera un gran músico, sino que era un gran cristiano, un hijo de Dios ejemplar. Era su hablar, su pensamiento, sus actitudes hacia los demás lo que delataba su profunda devoción. Se llamaba Leonardo. El hermano Leonardo se complacía en el Señor cada vez que tocaba con sus manos su gran piano de ochenta y ocho teclas, y era maravilloso escucharle. Era además un hombre anciano, posiblemente mayor a los setenta años, consumido por una enfermedad que le había enceguecido. Carecía además de ambas piernas pues hacía tiempo tuvieron que amputarlas. Pobre, pues no hubo en su país una pensión para él, ni alguien con la caridad y el dinero para mantenerle debidamente en los últimos años de su vida, aún y los esfuerzos de su sobrino, quien le asistía, usando de un gesto de amor cristiano.

Sin embargo, en medio de toda su aflicción y dolor, su gozo era ir al piano y tocar mientras cantaba dulcemente para su Señor. En aquellos tiempos yo era simplemente un niño, pero la vida de este hombre dejó marcado mi corazón para siempre. Lo más impresionante para mí de la vida de este hombre fue que mantenía siempre una actitud de gozo; y era tanta, que en una ocasión escribió una canción que decía: «Soy feliz, feliz, feliz, al lado de mi Salvador».

Hay algo en particular que caracteriza a los verdaderos hijos de Dios que están aún sobre esta tierra. No es su gran conocimiento, aunque la unción de Cristo les hace conocer todas las cosas (1 Jn. 2:20); tampoco es su dinero, pues, aunque el mundo les diga pobres, su Señor le llama ricos (Apo. 2:9); ni es aún su gran influencia en el mundo, aunque su fe ha vencido al mundo (1 Jn. 5:4). Aquello que caracteriza en todas partes a los hijos del Omnipotente Dios es su gozo. Cada vez que vemos a alguien que se mantiene siempre alegre, dentro de nosotros nos preguntamos, *¿será este un cristiano?* Pues el gozo es una actitud propia de los hijos de Dios.

El gozo de los hijos de Dios no está en un concierto de música. Ni en un espectáculo de danza. Tampoco está en los placeres en que aquellos que no conocen a Dios se complacer y huelgan. No depende del exterior, de aquello en donde ellos se encuentran circunscritos. No depende de su estado físico, o de aquello que el mundo ha llamado «calidad de vida», ¡no! No depende de nada de esto. Su gozo depende de Cristo mismo, de la presencia del Señor.

En la presencia del Señor es donde está nuestro gozo. Es en la oración. En contemplarle, contemplar su rostro. El mundo ofrece muchos otros sustitutos del verdadero y genuino gozo de Dios. Aún existen aquellos que teniendo algún conocimiento del Señor se complacen más bien en las cosas del mundo y no permiten que el genuino gozo de Dios llene sus corazones. La presencia del Señor es gozo inmediato. En la presencia de Cristo no existe la tristeza, pues Él lo resuelve todo. En la presencia del Señor no existe el dolor, pues Él llevó nuestros dolores. En la presencia del Señor se hace justicia pues Él es nuestro juez y vengador. En la presencia del Señor se encuentra la máxima satisfacción del alma y no hay ninguno que luego de experimentar la presencia del Señor pueda decir que ésta no satisfizo profundamente todo su ser.

El reino de Dios consiste en su gozo. El primer propósito de Dios para nosotros es que vivamos su gozo. ¿Qué tal nos sentiríamos nosotros con un hijo, por quien, habiendo trabajado toda la vida para proveer para su felicidad, viva de todos modos una vida de amargura? ¿No sería esto frustrante? ¿No nos enfadaría semejante cerrazón? El mismo Señor se airó con sus discípulos cuando se afligieron y desesperaron ante alguna situación apretada, y esto es para manifestarnos lo que Él siente cuando nosotros no mantenemos su gozo. Nuestro Señor proveyó para nosotros toda clase de bendición para nuestra felicidad.

Pero observemos, no es nuestro gozo, pero es *su* gozo. Nos dicen las Escrituras: «No os entristezcáis, porque el gozo de Jehová es nuestra fuerza» (Neh. 8:10). No se trata de un gozo meramente humano, pero se trata del gozo del Señor. Es su gozo el que inunda nuestra vida. Es algo que proviene de su trono de poder y misericordia. Es aquello que ni nosotros (ni el mundo mucho menos) podrá jamás explicar. Es aún más que una simple actitud, pues una actitud podría tenerla alguien que no ha conocido a Cristo, pero que consciente y racionalmente se esfuerza por ser positivo, al conocer que esto le es conveniente para sus propias relaciones interpersonales. No. El gozo del Señor es un río. Anote este pasaje bíblico. El Espíritu nos habla y dice: «Después me mostró un río limpio de agua de vida, resplandeciente como cristal, que salía del trono de Dios y del Cordero» (Apo. 22:1). Esto es el gozo de Dios. Es un río que proviene del trono de Dios y del Cordero. Es un río limpio de agua de vida que resplandece como el cristal. El gozo o alegría que los impíos tienen en los placeres temporales del pecado es un agua sucia y putrefacta que produce enfermedad y asco. Lo que se disfruta por unos cuantos minutos o aún algunas horas, luego lleva un precio de hasta años de sufrimiento y una vida de infección en el alma y aún en el cuerpo. Pero el río de Dios —que es su gozo—, produce gran satisfacción, una fuerza sobrenatural que nos alienta a continuar.

Dentro del tema de propósito, está el reino de Dios en nosotros, y el reino de Dios en nosotros es su gozo corriendo. Es el río de Dios que sacia nuestra sed. «Si alguno tiene sed, venga a mí y beba. El que cree en mí, como dice la Escritura, de su interior correrán ríos de agua viva» (Jn. 7:37-38). Esa es la voluntad de Dios. Eso es lo que Dios quiere. No sólo que le sirvamos, sino que nos complazcamos con Él. No sólo que busquemos su mano, sino que busquemos su rostro. No sólo que hablemos de los asuntos técnicos y de las estrategias de su reino, sino de enamorarle; y que, al hacerlo así, su río fluya. Esto solamente se encuentra en la oración, al rogar que su reino se perfeccione, afirme, fortalezca y establezca en nosotros.

No será el tipo de trabajo que desempeñemos, ni las personas que tratamos, ni el lugar en donde vivimos, aunque por supuesto, siempre procuramos un buen ambiente para nosotros y nuestras familias, pero el gozo de Dios se encuentra en Él únicamente, tenemos que trasladarnos a su trono e ir a beber de su río, y más aún, dejar que ese río fluya dentro de nosotros. No deberíamos avanzar en nuestra oración sin antes sentir ese río fluyendo.

Cuando empieza a fluir el gozo de Dios, podemos cantar y gritar. Si estamos de rodillas, quizá nos levantamos y danzamos. Si hablamos lenguas, éstas fluyen espontáneamente. Es el río de Dios, ¡dejémoslo fluir! Así, quien ha acostumbrado su alma a estar en la presencia del trono de Dios, podrá luego decir como David dijo por el Espíritu, «Está mi alma apegada a ti; Tu diestra me ha sostenido» (Sal. 63:8). Quien vive en la presencia del Señor siente asfixiarse si deja pasar un sólo día sin ir a beber el agua del trono del Altísimo y del Cordero.

El hombre espiritual practica la justicia

«El juzgó la causa del afligido y del menesteroso, y entonces estuvo bien. ¿No es esto conocerme a mí? dice Jehová» —Jeremías 22:16

El espiritual practica la justicia, no la desarrolla por los jueces de esta tierra, siendo por cierto algunos de ellos, irrespetuosos al nombre de Dios. Se trata, no de la jurisprudencia del mundo, sino la del cielo. Se trata, no de lo que escriben los hombres basándose en el juicio de una sociedad maligna y perversa (Fil. 2:15), sino en lo que Dios ha dicho en su Palabra. Es de imaginarse que en Sodoma y Gomorra existieron leyes muy apartadas del corazón de Dios, y de ello no quedó vestigio alguno, pues todo fue consumido por las cataratas de fuego y azufre que Dios envió sobre ellas. Pero los hijos de Dios no somos de este mundo, ni en nuestro espíritu aún vivimos aquí. «Pues aunque andamos en la carne, no militamos según la carne» (2 Cor. 10:3). Nuestra justicia es la prescrita en las Escrituras. Pues conocer a Dios no es haber ido al seminario bíblico; ni saberse de memoria algunos versículos. No es conocer el catecismo cristiano ni tampoco es haberse sentado en la misma banca por más de treinta años escuchando mensajes bien elaborados. Jeremías, inspirado por el Espíritu, nos da la definición de conocer a Dios. Conocer a Dios es practicar su justicia. Es juzgar justamente y hacer el bien siguiendo las leyes de Dios.

Existen algunos que se hacen llamar seguidores de Cristo, pero no siguen sino los instintos animales de su mente carnal. Son como animales irracionales, nos dice Pedro, uno de los apóstoles del Cordero (2 P. 2:12). No entienden en lo que consiste conocer a Dios. Pues conocer a Dios es amar. La justicia de Dios es el amor. Está escrito: «El que no ama, no ha conocido a Dios; pues Dios es amor» (1 Jn. 4:8). Quieren amor, cuando ellos no aman, sin entender que el camino para ser amados es amar. Pues no es querer amor lo que significa conocer a Dios sino amar. Simplemente eso. Esta es la senda de Cristo. Y amar a los demás se ramifica en los mandamientos del Señor. Este es el código de justicia de Dios. Es maravilloso leer lo que escribe el apóstol Pablo: «Y yo con el mayor placer gastaré lo mío, y aún yo mismo me gastaré del todo por amor de vuestras almas, aunque amándoos más, sea amado menos» (2 Co. 12:15).

No es nada fácil hacer la justicia de Dios. Muchos hombres sin Cristo lo han intentado y han fracasado del todo. Otros aparentan algo, pero por dentro están llenos de hipocresía. Sólo los auténticos hijos de Dios pueden mostrar la justicia de Dios verdaderamente. Está escrito: «Para que seáis hijos de vuestro Padre que está en los cielos, que hace salir su sol sobre malos y buenos, y que hace llover sobre justos e injustos» (Mt. 5:45). Pues la justicia de Dios consiste en mostrar amor no sólo con los que nos hacen bien y son buenos, sino aún con nuestros enemigos y los que se portan mal con nosotros. Mostrar amor con los justos e injustos, eso es lo que nos hace ser hijos de Dios.

Y al hacer el bien, y al cumplir la justicia de Dios nos alegramos y se refresca nuestro espíritu. De nuevo, el río de Dios corre dentro de nosotros. Somos juzgados por el Señor y hallados perfectos ante sus ojos. No es algo nuestro. Es del Espíritu Santo. No es nuestra justicia, sino su justicia, la que corre de su trono. Es ese río cristalino, pues en la justicia de Dios no hay nada turbio. Dios es pureza, Él es luz y no hay tinieblas en Él. No hay nada que ocultar, no hay nada que esconder. Todo es manifiesto ante Él. Y somos cartas abiertas leídas por todo el mundo.

En nuestra oración rogamos que su justicia brille. Que su palabra llegue al alma, que se confine en las fibras más íntimas de nuestro ser. Que sea parte intrínseca de nuestro pensamiento, y que sea la materia misma de la que estemos constituidos. Tenemos que luchar con nuestra mente carnal, tenemos que dominar nuestra propia naturaleza caída, pero ya cauterizada por el Espíritu Santo. Está escrito, «Amados, yo os ruego como a extranjeros y peregrinos, que os abstengáis de los deseos carnales que batallan contra el alma» (1 P. 2:11). Más adelante hablaré más extensamente sobre el tema de la tentación, el último tema de la oración de Cristo. Básteme por ahora decir que en el segundo tema de nuestra oración (la oración de Cristo) pedimos que el Señor complete su obra en nosotros y que su justicia sobrenatural sea realidad en nosotros para ese día.

La voluntad de Dios

«Mas el que escudriña los corazones sabe cuál es la intención del Espíritu, porque conforme a la voluntad de Dios intercede por los santos» —Romanos 8:27

En el tema de propósito de la oración de Cristo oramos que se haga la voluntad del Señor. Dicen que en una ocasión iba un misionero joven, uno de esos que aún no están casados, iba cabalgando decidido a formalizar una relación seria con una de dos chicas que le gustaban, las que vivían en pueblos distintos. Una de ellas era muy cristiana, le gustaba buscar al Señor con pasión y era apta para el ministerio. La otra no era tan consagrada, le faltaba más trato con el Señor y era deseable más conocimiento de la Palabra en ella; sin embargo, era la más hermosa físicamente de las dos. Iba aquel joven por un camino principal que luego encontraría una encrucijada. Un camino daría a donde vivía una de las jóvenes, y el otro al de la otra. Mientras tanto, el joven misionero oraba, «Señor, donde sea tu voluntad, que el caballo tome el camino correcto y que esto sea tu señal». Al decir él estas palabras, el caballo empezó a inclinarse por el camino de la chica consagrada y apta para el ministerio. Pero inmediatamente, el misionero tomó una de las riendas, y la jalaba más bien por el camino de la menos consagrada pero más bella físicamente. ¡Anda caballito! ¡No te rebeles contra Dios!, decía.

Conocer la voluntad de Dios nos ayudará a cometer menos errores en la vida y nos conducirá a una vida victoriosa. En nuestra oración de propósito rogamos al Señor que nos muestre con claridad su voluntad. Que nuestra mente esté renovada y transformada a fin de comprobar esa voluntad de Dios que es buena, agradable y perfecta para nosotros. Pues bien, encaminemos nuestros corazones a conocer tres aspectos primordiales.

Existen para cada caso varios tipos de voluntad de Dios. La primera es la voluntad del Señor que tiene que ver con **su gobierno**. Es lo que Dios quiere que nosotros hagamos o no hagamos. Es la voluntad de justicia, la que declara el orden de Dios sobre la tierra y su creación. Expresa lo que Dios ha establecido como leyes y mandamientos, y su quebrantamiento se traduce en pecado, pues es una violación a la ley de Dios. También es aquella provisión de Dios para alcanzar a todos los seres humanos. Por ejemplo, no hagáis tesoros en la tierra, ama a tus enemigos, ora por los que te hacen mal, dad, no mires con lujuria, etc., son mandamientos del Señor. Asimismo, cuando la Biblia declara, «... el cual quiere que todos los hombres sean salvos y vengan al conocimiento de la verdad» (1 Ti. 2:4). Ahí se está refiriendo a que la voluntad de justicia de Dios —que empieza con la experiencia de la salvación— sea una realidad para todos los seres humanos. Esto es lo que Dios quiere. Sin embargo, la voluntad de gobierno de Dios no siempre es cumplida porque depende de algo que Dios ha querido también establecer: el libre albedrío humano, esto también es una ley de Dios en el universo. Dios ha sido soberano en establecer sus leyes en el universo y aquellas que competen a los seres humanos. La voluntad de gobierno de Dios tiene su base en aquellas leyes o decretos que son imposibles mover, pues corresponden a su soberanía. Dios ha sido soberano en establecer que el hombre eligiera entrar o no por la puerta que es Cristo. Dios ha sido soberano en que fuera únicamente por Cristo que nosotros alcanzáramos salvación. Él ha sido soberano en decretar que somos sanos y salvos por el sacrificio perfecto de Cristo en la cruz y ha sido soberano en establecer sus normas de justicia para vivir en santidad. Así, su voluntad es que todos los seres humanos gocemos de sus beneficios y obedezcamos a las responsabilidades de sus leyes, todo producto de esa soberanía desde la eternidad en el pasado.

Otro aspecto de la voluntad de Dios es referente a aquellos acontecimientos proféticos que serán realidad en el tiempo establecido por el Señor. Conocemos en su Palabra lo que habrá de suceder (aunque algunas cosas en realidad resulten complicadas de entender en referencia a los escritos proféticos para los fines de los tiempos). Cristo cumplió la voluntad de Dios al cumplir las profecías que hubo acerca de Él. Nosotros también cumpliremos lo que se dice acerca de nuestro futuro y éste está intacto. Oramos, «Y el Espíritu y la esposa dicen: Ven» (Apo. 22:17). Oramos que Dios prepare la iglesia para el regreso de Cristo Jesús. Daniel oraba acerca de los setenta años de que habló el profeta Jeremías, y que el tiempo estaba cumplido (Dn. 9:2-3). Es muy interesante pensar que aún y que la voluntad **profética** de Dios será cumplida, Dios utiliza a sus siervos más fieles para interceder, para rogarle a Él mismo que cumpla lo que está destinado que suceda. Ellos oran e interceden para que la voluntad de Dios sea hecha realidad. Por esto es muy cierto lo que dijo Juan Wesley: «Dios no hará nada sino en respuesta a la oración». Las Escrituras también declaran: «Porque no hará nada Jehová el Señor, sin que revele su secreto a sus siervos los profetas» (Am. 3:7).

Hay cosas que también para nosotros Dios tiene determinadas que sucedan. Son padecimientos. Sufrimientos por causa de la predicación del evangelio y de la justicia. Esto explica versículos como este que dice: «Porque mejor es que padezcáis haciendo el bien, si la voluntad de Dios así lo quiere, que haciendo el mal» (1 P. 3:17).

Por último, oramos que la voluntad de Dios **específica** en relación a nuestro propósito, sea cumplida. David por ello exclamó: «Jehová cumplirá su propósito en mí» (Sal. 138:8). Por eso es que debemos de renovar nuestra mente en el Señor para conocer su voluntad específica. Esto se refiere, no a aquello que Dios ha mandado hacer a todos, ni tampoco a aquello que Él hará porque está escrito que así sea, sino a la tarea o trabajo específico que Dios quiere para cada uno de nosotros haga antes de morir.

Algunos están preocupados por conocer la voluntad específica de Dios sin estar haciendo su voluntad de gobierno universal, sin estar viviendo en obediencia a los mandamientos del Señor, sin cumplir la gran comisión y sin esforzarse dentro del marco de la gracia. No es así. Cada uno debe de vivir haciendo primero lo que el Señor nos ha mandado hacer a todos y luego el Señor nos indicará sus órdenes precisas y comisiones o proyectos en particular. Ninguno que no es un siervo obediente primero a lo que Dios ha mandado a todos podrá recibir el privilegio de recibir órdenes particulares de Dios.

Hay quienes dicen que Dios les habla cuando no viven en santidad. Pero a no ser que se refieran a lo que Dios dice en su Palabra para que restauren su caminar con Él, Él jamás encargará proyectos a personas que no son fieles primero. Está escrito: «Mis ojos pondré en los fieles de la tierra, para que estén conmigo; El que ande en el camino de la perfección, éste me servirá» (Sal. 101:6).

En nuestra oración abrimos las Escrituras, ya sea que esté memorizada en nuestra mente, o bien el libro físico y le suplicamos al Señor que nos envíe su Espíritu para ayudarnos a vivir una vida de santidad, «pues la voluntad de Dios es vuestra santificación» (1 Ts. 4:3). También le pedimos que nos ayude a entender lo que Él nos ha concedido haciendo referencia a lo que dice 1 Corintios 2:12: «Y nosotros no hemos recibido el espíritu del mundo, sino el Espíritu que proviene de Dios, para que sepamos lo que Dios nos ha concedido»; es decir, aquellos decretos de Dios que son parte de su voluntad. Oramos que su deseo sea cumplido en nosotros y en aquellos que nos rodean. Luego podemos orar que su voluntad profética sea cumplida, pues ya todo está preparado para la venida del Señor y su regreso es inminente. Finalmente oramos por nuestros ministerios y que su voluntad específica en nosotros sea cumplida.

La voluntad de Dios es la salvación del que está perdido

«El cual quiere que todos los hombres sean salvos y vengan al conocimiento de la verdad» —1 Timoteo 2:4

Otro de los aspectos del segundo tema de la oración de Cristo es la oración por el perdido. Hay tantos miles de personas que aún no tienen el regalo de la salvación. Hay tantos que podrán no estar lejos del reino de Dios —como Jesús dijo a aquel escriba que vino a verle en Marcos 12:34—, pero que no han querido tomar el paso de entrar definitivamente a una vida de obediencia. Que por años han sido sólo simpatizantes, pero no verdaderos seguidores de Jesús. Por ellos debemos orar. Muchos otros no quieren saber nada del evangelio, se conforman con una vida simplemente basada en los sentidos y rechazan el amor de Dios. Otros tienen su religión, pero no tienen una vida de fe y obediencia a la Palabra, que no han querido pagar el costo de seguir a Cristo o bien su religión simplemente no incluye al Señor en lo absoluto. Por ellos también oramos.

Oramos por la salvación de nuestra propia familia, aquella que anhelamos sea salva de las llamas del infierno, pero que hasta ahora ha cerrado su corazón. Oramos por nuestros amigos, nuestros vecinos y compañeros. Observemos lo que dice Pablo: «Verdad digo en Cristo, no miento, y mi conciencia me da testimonio en el Espíritu Santo, que tengo gran tristeza y continuo dolor en mi corazón. Porque deseara yo mismo ser anatema, separado de Cristo, por amor a mis hermanos, los que son mis parientes según la carne» (Rom. 9:1-3).

Casi me atrevo a decir que ninguno de nosotros ha tenido una carga tan grande por los perdidos que estuviera dispuesto aún a ir al infierno en lugar de ellos. ¡Imagine la carga de Pablo! Tal era su pasión. Nuestro propósito en esta tierra siempre tendrá relación con la salvación de los perdidos y al orar por ellos estamos haciendo la voluntad de Dios. Estamos alineando nuestro corazón con el suyo, pues por eso Cristo murió, para que todos fuéramos salvos.

Nuestra oración es con fe y constancia. Creemos firmemente que el Señor escucha todas nuestras peticiones, y ésta es definitivamente la más importante. Si intercedemos poderosamente por los perdidos y estos son salvos (sin dejar, claro, de aprovechar cada oportunidad para presentar a Cristo con nuestra vida y voz), estaremos cumpliendo una de las más grandes tareas de los hijos de Dios sobre la tierra. ¿Qué pasaría si no hay intercesión por los perdidos? Ninguno puede venir a Cristo sin que el Padre no le traiga primero (Jn. 6:44). Por ello es que todos hemos venido al Señor debido a la intercesión de alguien más.

Moisés fue un gran intercesor. Llegó a decir: «Te ruego, pues este pueblo ha cometido gran pecado, porque se hicieron dioses de oro, que perdones ahora su pecado, y si no, ráeme ahora de tu libro que has escrito» (Ex. 32:31-32). Es tremendo cuando un hijo de Dios intercede por un perdido, porque algo poderoso sucederá, el milagro de la salvación está en camino. Dios hará grandes maravillas. Juan Knox es conocido por su oración: «Dame Escocia o me muero». Esta no fue una arrogante o demandante oración, sino la plegaria de un hombre postrado en el suelo con un corazón totalmente inmerso en la idea de ver su nación rendida a los pies de Cristo. Fue tan poderosa la oración de este hombre que una vez, —fuentes fidedignas declaran— que la misma reina de Escocia, la reina católica María exclamó: «Temo más a las oraciones de Juan Knox que a todas las fuerzas armadas de Europa juntas».

La voluntad de Dios siempre será que los perdidos se conviertan. Por ellos son todos nuestros esfuerzos. Por ellos es que damos nuestras vidas, «cada día muero» (1 Cor. 15:31), dijo Pablo... y literalmente cada día debemos morir por la salvación de alguno.

El diablo se opondrá siempre a la salvación del perdido, su trabajo es cegar «el entendimiento de los incrédulos, para que no les resplandezca la luz del evangelio de la gloria de Cristo, el cual es la imagen de Dios» (2 Cor. 4:4). En la oración luchamos contra el diablo, le arrebatamos las almas que no le pertenecen, pues está escrito: «He aquí que todas las almas son mías» (Ez. 18:4). Dios es el Padre de los espíritus (Heb. 12:9), y Dios nos dará grandes frutos para la gloria de su nombre.

Como conclusión a esta sección, recapitulemos, el tema de propósito consiste en:

1.- Que Dios quiere perfeccionar, afirmar, fortalecer y establecer su reino en nosotros. Su reino consiste en el gozo, paz y justicia sobrenaturales que fluyen en nosotros como un río.

2.- Que la voluntad de Dios sea hecha en la tierra, así como lo es en los cielos, y consiste en:

a) Conocer la voluntad de Dios; y,

b) Hacer que la voluntad de Dios sea realidad.

3.- Que la voluntad de Dios —expresada en las Escrituras— podría subdividirse en tres:

a) La voluntad de gobierno universal de Dios. Ésta consiste en los mandamientos del Señor y de sus decretos por la muerte de Cristo en la cruz y su resurrección. Esta voluntad no siempre se cumple y está dirigida a todos.

b) La voluntad profética de Dios. Ésta consiste en lo que Dios ha establecido que sucederá, así como han sido realidad su voluntad profética para tiempos más tempranos (por ejemplo, la profecía cumplida en Cristo). Esta voluntad de Dios siempre se cumple.

c) La voluntad específica de Dios. Esto es aquello que Dios quiere específicamente de cada uno de nosotros, y no será realidad hasta que la voluntad de gobierno universal de Dios no sea realidad primero en cuanto a la obediencia a sus mandamientos. Puede cumplirse parcial o totalmente, pero luchamos por realizar la totalidad del plan de Dios en nosotros antes de morir.

4.- Que en primer lugar la voluntad de Dios será que todos los hombres alcancen salvación. Oramos porque se arrepientan de sus pecados, entren al reino de Dios y permanezcan hasta el fin.

En este tema invertimos suficiente tiempo, pues el Señor desea que su voluntad sea totalmente una realidad en la tierra.

CAPITULO 3

NECESIDADES

Hasta aquí hemos visto los primeros dos temas de la oración de Cristo. El primero se refiere a la adoración (Padre nuestro que estás en los cielos, santificado sea tu nombre). El segundo se refiere al propósito (venga tu reino, sea hecha tu voluntad, así en el cielo como en la tierra). Ahora veremos el tercer tema, el tema de las necesidades (el pan nuestro de cada día dánoslo hoy).

Evidentemente el ser humano tiene necesidades básicas para su subsistencia y felicidad en esta tierra. Le llamamos necesidades a aquellas cosas que realmente el ser humano necesita, no a aquellas que no necesita. Existen un sinnúmero de cosas que en realidad no representan una necesidad. En un mundo plagado por el comercio, el mundo en que vivimos, basta por dar un paseo fuera de casa, sin importar el rumbo, para ser sugeridos a comprar miles de artículos y servicios que realmente no necesitamos. Por cierto, en nuestro mundo, no es necesario salir de casa para ser bombardeados por los comerciantes con su toda su publicidad.

Nuestro Padre celestial sabe de aquellas cosas de las que tenemos necesidad (Mt. 6:8). Él mismo nos diseñó y nos hizo, y este diseño y creación incluye nuestras necesidades. Un bebé desde el momento en que nace, ya tiene necesidades que si no son satisfechas morirá. Sin embargo, también sabemos que el Dios que hizo un ser humano con necesidades, también ha provisto lo suficiente para que éstas fueran satisfechas.

Aunque la palabra de Dios dice, «No sólo de pan vive el hombre, sino de toda palabra que sale de la boca de Dios» (Mt. 4:4), y «trabajad, no por la comida que perece, sino por la que a vida eterna permanece, la cual el Hijo del Hombre os dará; porque a éste señaló el Padre» (Jn. 6:27), sabemos que el ser humano tiene necesidades además de las espirituales. Las necesidades espirituales son las más importantes, sin embargo, el Señor no olvidó que tenemos también necesidades humanas, por ellas también debemos orar para que Dios nos ayude a satisfacerlas. Veamos.

La necesidad de alimento

«Que hace justicia a los agraviados, Que da pan a los hambrientos. Jehová liberta a los cautivos» —Salmos 146:7

Alguien puede pensar que un hombre vagabundo que no ha comido por dos o tres días necesita primero escuchar la palabra de Dios antes que pedir un plato de comida. Sin embargo, si su necesidad de alimento no es satisfecha, jamás en realidad podrá escuchar una sola de nuestras palabras, por más ungido que sea nuestro mensaje.

Dice la palabra de Dios que Él da de comer a los pajarillos. Él alimentó a cinco mil y luego a cuatro mil. Él multiplicó los alimentos para los hijos de los profetas en 2 Reyes capítulo cuatro y aun sanó el potaje que fue envenenado con calabazas silvestres. Dios multiplicó el aceite y harina de la viuda que sustentó a Elías (1 R. 17:8-16). Jehová Dios nuestro sustentó por cuarenta años a más de dos millones de personas con el maná del cielo. Y estos son sólo algunos ejemplos que se encuentran registrados en las Escrituras acerca de la tremenda provisión de Dios.

Ese mismo Dios fue el que durante algunos días alimentó a Elías. Él mandó que cuervos le llevaran pan y carne y bebía del arroyo de Querit. ¡Imagine! Elías vivió a las riberas de un arroyo tan sólo siendo sustentado por la mano de Dios. Dios preserva la vida de sus siervos. Dice Isaías: «Como las aves que vuelan, así amparará Jehová de los ejércitos a Jerusalén, amparando, librando, preservando y salvando» (Is. 31:5).

En el tiempo antiguo mucha gente murió de hambre. Se registran en la historia hambrunas muy severas. Algunos investigadores coinciden en que la civilización Maya sufrió una severa sequía que mató a millones de personas debido al hambre y la sed, lo que propició el derrumbe de la civilización. Entre los años 1601 y 1603 Rusia experimentó una de las más grandes hambrunas de su historia con una cuota de cientos de miles de muertos. En Francia ocurrió algo similar entre los años 1693 y 1694. Varias hambrunas en la India costaron la muerte de millones de personas en el siglo XVIII y se estima que cuarenta y cinco millones murieron debido al hambre en China en el siglo XIX. Según R.E. Elson, quien escribió un libro titulado: *The Famine in Denmark and Grobogan in 1849-1850: Its Causes and Circumstances [Las hambrunas de Dinamarca y Grobogán entre 1849 y 1850: sus causas y circunstancias]* declara que la hambruna que hubo Indonesia entre los años 1849 y 1850, ¡costó la vida de ochenta y tres millones de personas!

En Biblia también se registran varias hambrunas, siempre relacionadas con el sitio de los ejércitos enemigos o la sequía. El Señor quiere que seamos siempre agradecidos por el alimento, porque si bien es cierto que posiblemente en nuestros países no tengamos los graves problemas que hubo en el pasado, en nuestros días continúa habiendo mucha gente que muere por carecer de alimentos. En años recientes, entre 1998 y 2004 millones de personas murieron por el hambre (y debido también a la proliferación de enfermedades) en la República Democrática del Congo; y más recientemente en Somalia y el Oeste de África. Muchas otras personas han muerto por el hambre sin que nadie lo sepa, y esto es un crimen perpetuado por toda la humanidad.

Cuando oramos, debemos pedir al Señor que nos dé el alimento para el sustento del cuerpo y jamás debemos de dar por un hecho que lo tendremos. No importa la prosperidad de que goce una región, en la historia existieron comunidades prósperas que de pronto tuvieron muchos problemas con los alimentos. Dios es quien envía la lluvia y ésta hace prosperar los campos. Es maravilloso ver llover después de un gran período de sequía. El hombre, aún y toda su tecnología, jamás podrá producir por sí mismo la lluvia temprana y tardía que viene del cielo. El Señor tiene las llaves de las cataratas del cielo.

Por otro lado, es necesario ser buenos administradores del alimento que Dios nos da. En nuestros días la gente que vive en prosperidad material, debido a su falta de sabiduría, en lugar de que los alimentos sean una bendición, éstos se convierten en el instrumento de su propio deterioro y destrucción. Los científicos denuncian que en nuestros días existe más muerte y enfermedad debido a comer en exceso que a comer demasiado poco. El *Global Burden of Disease Report*, un esfuerzo masivo que involucra a más de 500 científicos de más de cincuenta países, concluye, que, aunque hemos alcanzado a dominar algunas de las enfermedades infecciosas más comunes, estamos colectivamente viviendo, la mayor parte de nuestros días, en el dolor de una salud deficiente y mucha discapacidad debido al exceso de nutrientes. En el mismo reporte las conclusiones conducen a pensar que, aunque aún en los 90 muchos de los problemas de salud globalmente se debían a la desnutrición, por primera vez en la historia (quizá) los problemas debidos al exceso de comida superan a los de la ausencia de ella.

Proverbios 30:8 nos dice: «Mantenme del pan necesario». Que esta sea nuestra oración, que tengamos pan, que sea lo suficiente. Pero también intercedemos por aquellos que tienen necesidad del mantenimiento diario. De los misioneros y pastores que padecen necesidad, de aquellos que habitan en lugares difíciles. Sigue habiendo en las grandes ciudades del mundo y en las zonas rurales muchas personas que sufren desnutrición y una alimentación deficiente. Las Escrituras nos dicen: «El alma generosa será prosperada; y el que saciare, él también será saciado» (Prov. 11:25). Busque su chequera para saciar de pan a los hambrientos y su oración será más poderosa.

La necesidad de abrigo

«Aun el gorrión halla casa, Y la golondrina nido para sí, donde ponga sus polluelos, Cerca de tus altares, oh Jehová de los ejércitos, Rey mío, y Dios mío» — Salmos 84:3

Hoy en día el problema de la vivienda es quizá uno de los más graves del siglo en la mayoría de los países, incluyendo los desarrollados. Antes fue el asunto de la comida, ahora es que muchas personas carecen de un lugar propio en donde habitar. Miles pasan la noche en refugios temporales o albergues; otros en viviendas transitorias; muchos otros sufren para pagar una renta y miles duermen en hospitales, sanatorios, instituciones de salud mental, centros de rehabilitación de adicciones, o bien en cárceles, y lo triste es que no tienen un lugar a donde ir al salir de esos lugares. Otros viven en las calles, en parques, paseos, o bien en túneles del metro subterráneo. Otros en cuevas, campamentos, vehículos, o bajo puentes. En una ocasión vi el reporte de una familia que vivía en un cementerio, usando de techo las lápidas.

El *National Law Center on Homelessness and Poverty* [Centro Nacional de Derecho sobre la Falta de Vivienda y la Pobreza], la única institución no lucrativa cuya misión es prevenir y erradicar la indigencia desde una trinchera meramente legal; y que desde mediados de los 80 se dedica a trabajar en reformar los sistemas que propician este mal social en los Estados Unidos, declara que al menos tres millones y medio de personas en la nación han experimentado indigencia en algún año de su vida.

Las buenas noticias son que el Señor ha provisto para nosotros un lugar en esta tierra en donde vivir. Sabemos que «tenemos de Dios un edificio, una casa no hecha de manos, eterna, en los cielos» (2 Cor. 5:1) y también que Cristo fue a preparar lugar para nosotros para que donde Él estuviese, nosotros también estemos (Jn. 14:3); sin embargo, Dios tiene promesas para nosotros acerca de un refugio seguro en donde podamos disfrutar de paz para servirle. Está escrito: «Y mi pueblo habitará en morada de paz, en habitaciones seguras, y en recreos de reposo» (Is. 32:18). Dios quiere que habitemos en una morada de paz, que tengamos un lugar en donde nos sintamos seguros y podamos recrearnos.

Cristo, por tres años y medio, anduvo de aquí para allá predicando la palabra de Dios, sanando a los enfermos y echando fuera a los demonios y no tuvo un lugar en donde recostar su cabeza (Mt. 8:20), pero eso no significa que los hijos de Dios tengamos que ser indigentes toda la vida, significa que en algún momento de nuestra vida podemos participar de los mismos sufrimientos de Cristo, y este fue uno de ellos, y de ello podemos gloriarnos (1 P. 4:13). Si sufrimos con Él, también viviremos con Él (2 Ti. 2:12). Siempre y cuando esto sea por causa de la predicación del evangelio o de practicar la justicia.

Dios desea la paz de su pueblo, el Señor es Príncipe de Paz (Is. 9:6), y el castigo de nuestra paz fue sobre Él (Is. 53:5). Por lo tanto, la voluntad de Dios es que tengamos un lugar pacífico y seguro en donde vivir. Fue así desde el principio, antes de que Adán y Eva pecaran, Dios dio a sus hijos un lugar maravilloso en donde vivir, el Edén. Así, Dios desea darnos un lugar en donde habitar aún aquí en la tierra.

Dice el Señor que si pedimos cualquier cosa de acuerdo a su voluntad Él nos la concederá. Está escrito: «Y esta es la confianza que tenemos en él, que si pedimos alguna cosa conforme a su voluntad, él nos oye. Y si sabemos que él nos oye en cualquier cosa que pidamos, sabemos que tenemos las peticiones que le hayamos hecho» (1 Jn. 5:14, 15). La voluntad de Dios es que nosotros habitemos seguros, que tengamos paz, Él pago el castigo de nuestra paz.

El Señor es el dueño de todo. Está escrito, «De Jehová es la tierra y su plenitud» (Sal. 24:1, 1 Cor. 10:26). El Señor nos ha hecho señorear sobre todas las obras de sus manos (Sal. 8:6), nos ha puesto por cabeza y no por cola (Dt. 28:13). Dice en otra parte: «Los cielos son los cielos de Jehová; Y ha dado la tierra a los hijos de los hombres» (Sal. 115:16). Los mansos heredarán la tierra (Sal. 37:11). El Señor quiere que nosotros disfrutemos de lo que Él ha hecho, pues dice que Él «nos da todas las cosas en abundancia para que las disfrutemos» (1 Ti. 6:17).

Cuando vamos al Señor llevamos argumentos en nuestra boca. Es su Palabra, es su propia voz la que cuenta cuando le vamos a rogar algo, pues nuestra oración tiene que ser conforme a su voluntad. Él quiere que tengamos abrigo y que tengamos una vida de paz. Quizá alguno de nosotros ha pasado por algún momento en donde pareciere que dormirá en la calle, pero ahí es cuando se acerca nuestro Señor y nos da refugio.

Y los que hemos encontrado refugio y Dios ha contestado nuestras oraciones proveyéndonos una casa donde vivir, el Espíritu nos dice: «No olvidéis de la hospitalidad, porque por ella algunos, sin saberlo, hospedaron ángeles» (Heb. 13:2). Y los ángeles no revelan una carta de recomendación, ni credenciales. No traen consigo un documento notariado. Los ángeles no traen licencia de conducir, ni pasaporte, ¡no! Ellos no portan identificación alguna. Les abrimos las puertas, los hospedamos y por la mañana, antes del amanecer, cuando vamos a ver como están, encontramos que han desaparecido sin dejar ningún rastro, tan sólo la indescriptible estela de la presencia de Dios envolviendo todo el ambiente ¿Cuántos en nuestros días han hospedado ángeles?

La necesidad de vestido

«Pero sus negocios y ganancias serán consagrados a Jehová; no se guardarán ni se atesorarán, porque sus ganancias serán para los que estuvieren delante de Jehová, para que coman hasta saciarse, y vistan espléndidamente» —Isaías 23:18

Dios viste mejor a los lirios del campo que lo que Salomón con toda su gloria se vistió. Y si el Señor viste así a lo que mantendrá su belleza sólo por un momento, que no tiene conciencia, y no alaba al Señor por decisión propia, cuanto más por aquellos de los cuales declaró: «¿No hará mucho más a vosotros, hombres de poca fe? (Mt. 10:31). Los lirios del campo aún podrían gloriarse en presencia del aquel gran rey de Israel, el más esplendoroso que ha tenido, pues Dios les ha dado la más bella de las investiduras; y cuánto mejor vestirá a aquellos por quienes su Hijo amado murió y resucitó.

A José, aquel muchacho noble, con grandes y poderosos ideales, al que Dios dio sueños de grandeza, honor y gloria, su padre le vistió con una túnica vistosa, de colores, seguro de una tela costosa, tanto que era su propia distinción. Sus hermanos dijeron a Jacob, como prueba (aunque falsa) de sus declaraciones, «reconoce ahora si es la túnica de tu hijo, o no» (Gn. 37:32).

José fue tipo de Cristo, el gran Salvador del mundo, el que fue declarado Hijo de Dios por el Espíritu de Santidad, nuestro Redentor y Dios, que aunque nació y vivió en pobreza, tuvo por vestidura una túnica sin costura, de un sólo tejido de arriba abajo (Jn. 19:23).

Nuestros vestidos tienen en la Biblia muchas veces un significado espiritual, símbolo de pureza y castidad, símbolo de gloria futura y magnificencia. Por ejemplo, decir que la Esposa se vestirá de lino fino al recibir al Esposo en las bodas del Cordero, tiene un profundo significado espiritual. Sin embargo, Dios ha dado promesa de buen vestir para sus hijos aquí en la tierra. El pasaje de Isaías que cito al principio es una de las evidencias de esa promesa. El Señor quiere que sus hijos vistan espléndidamente. La palabra hebrea traducida por la Reina-Valera como espléndida, es «*athiyq*», que significa eminente, venerable y durable. Eso significa que, para los hijos de Dios, los fieles de la tierra, el Señor ha provisto un buen vestir.

No es un vestido costoso para mostrar a los demás mayor estatura económica, mucho menos para sobajar a alguno, pues este es el sentido de las palabras del apóstol Pablo en 1 Timoteo 2:9, «asimismo que las mujeres se atavíen de ropa decorosa, con pudor y modestia; no con peinado ostentoso, ni oro, ni perlas preciosas, ni vestidos costosos», pues que la vestidura interna, la del corazón, no se vea afectada por la externa, la que se envejece y se pudre. Sin embargo, es propio que el hombre y la mujer de Dios se vista dignamente, con decoro, con esplendidez, con ropa durable y venerable, como es distinción de los hijos que se sientan a la mesa del Padre a diario para comer de su pan.

No se trata de caer en extremos de lo ostentoso, de aquello que lleva como fin la vanidad o la jactancia. Cristo jamás alardeó de su túnica costosa. Pero podemos pedir al Señor que nos dé el vestir con elegancia, combinando armónicamente los colores y texturas para dar a quienes conversan con nosotros la idea de uno que ha sido regenerado por el Espíritu de Dios.

En una ocasión ministré a un loco endemoniado, su ropa estaba sucia y raída, su olor era fétido y hediondo. El diablo había denigrado a tal grado a esta persona que podía parecer la más indigna del mundo. Oramos por él aquella tarde, pero no se quedó a presenciar el servicio de adoración sino se fue. Luego le vi de nuevo, en el siguiente culto, había llegado temprano, estaba vestido muy bien, su ropa era un traje limpio, posiblemente nuevo, ya no olía mal, Dios le había regenerado. Lo mismo sucedió con aquel pobre endemoniado gadareno, cuya historia verídica fue narrada por Marcos en su evangelio, está escrito: «Vienen a Jesús, y ven al que había sido atormentado por el demonio, y que había tenido la legión, sentado, vestido y en su juicio cabal; y tuvieron miedo» (Mc. 5:15).

Mi madre cuenta un testimonio muy conmovedor. Dice que, en una ocasión, al ser invitada a una fiesta de gala fue a su armario; y fue tan sólo para comprobar que no tenía algo que realmente estuviera a la altura de aquel convite tan importante. Lamentó más bien el haber sido invitada, pues decidiría no ir por causa de carecer de un vestido digno. Oró a Dios, lloró en su presencia, ¡ cómo era posible que una sierva del Dios altísimo no tuviese un vestido digno ni el dinero suficiente para comprarlo! Acabó de orar, el Señor le dio la seguridad de que Él había escuchado su clamor y visto sus lágrimas. No pasó mucho tiempo, días antes de la fiesta, cuando una pastora de otra ciudad vino a nuestra casa y tocó la puerta. Cuando mi madre le recibió con alegría (pues hacía tiempo no la veía), aquella mujer le dijo: «No agradezcas mi visita, pues con sinceridad te digo que no tenía intención de visitarte hoy, pero el Señor me habló anoche y me dijo: "ve, visita a tu amiga pastora, la que vive en Santa Catarina, en México, toma ese dinero que tienes guardado y dáselo, ella lo necesita"».

La necesidad de la salud

«Más él herido fue por nuestras rebeliones, molido por nuestros pecados; el castigo de nuestra paz fue sobre él, y por su llaga fuimos nosotros curados» —Isaías 53:5

Esta no debiera ser una petición para el futuro pues no se trata de una promesa, sino de un decreto. De algo que ya sucedió hace casi dos mil años, cuando Cristo murió, pues aquel día, hace tanto tiempo, nuestro Señor estaba llevando todas nuestras enfermedades y dolencias. Él ya las llevó y nosotros no tenemos porqué volver a llevar algo que Él ya llevó. Afirmamos, por tanto, en fe, que somos sanos, que esto es parte de nuestra nueva naturaleza e identidad.

Si el enemigo ataca el templo del Espíritu Santo que ha sido puesto bajo nuestro cuidado, le hablamos con autoridad, «quítate de mí satanás, pues el Espíritu Santo me ha declarado sano 700 años antes que Cristo Jesús viniera, y mi sanidad fue consumada con su muerte en la cruz. Te reprendo en el nombre poderoso de Jesucristo de Nazaret de Galilea, lárgate y no vuelvas más». Esta es la autoridad que tenemos de Dios en Cristo.

El asunto de la sanidad divina jamás debe de ser comparado con las demás necesidades humanas, pues junto con la salvación del alma es parte de lo que el Señor logró por nosotros en la cruz, según la poderosa declaración de Isaías y confirmada luego en Mateo capítulo ocho como una clara referencia a Cristo.

Estar sanos es por supuesto una de las más grandes necesidades humanas, sin embargo, así como diariamente damos gracias al Señor por haber salvado nuestra alma al perdonar todos nuestros pecados, también debemos darle gracias por haber sanado de antemano todas nuestras enfermedades y dolencias. El enemigo tratará de engañarnos haciéndonos pensar que tenemos que orar mucho tiempo rogando por la misericordia de Dios para ser sanados y que esta misericordia puede o no conferírsenos, pero eso no es lo que enseñan las Escrituras. Los que fueron antes de Cristo pudieron haber orado por tal misericordia, pues Cristo aún no hubo venido, pero nosotros ahora tenemos el privilegio de que Cristo ya vino y ya pagó el precio por nuestra salud. Ellos atesoraron buen fundamento de fe para lo porvenir, para los herederos de lo que para ellos fue promesa y que para nosotros es ya un decreto y un hecho consumado. Nosotros ahora en Cristo somos herederos de sus beneficios. Para David el beneficio de la salud estuvo reservado para nosotros al declarar por el Espíritu: «Él que sana todas tus dolencias» (Sal. 103:3), tal y como Él ha perdonado todas nuestras iniquidades.

Por tanto, es necesario, independientemente de lo que nuestros sentidos naturales nos digan, que nosotros demos gracias al Señor por la sanidad que Él obtuvo para nosotros en la cruz del Calvario. Él perdonó todos nuestros pecados y Él sanó todas nuestras dolencias. Pedro declara: «Quien llevó él mismo nuestros pecados en su cuerpo sobre el madero, para que nosotros, estando muertos a los pecados, vivamos a la justicia; y por cuya herida fuisteis sanados» (1 P. 2:24). ¿No es la declaración de Dios superior a lo que cualquier otro nos diga, incluyendo nuestros sentidos naturales? ¡Claro que sí! ¡Sea Dios veraz, y todo hombre mentiroso! Nuestra oración de sanidad por tanto es una oración de acción de gracias y fe basada totalmente en la palabra de Dios.

Cada vez que el enemigo ataque al cuerpo del Señor, que es nuestro cuerpo físico, debemos de llenarnos de la palabra de Dios para que nuestra fe se mantenga viva. «Porque la palabra de Dios es viva y eficaz, y más cortante que toda espada de dos filos; y penetra hasta partir el alma y el espíritu, las coyunturas y los tuétanos, y discierne los pensamientos y las intenciones del corazón» (Heb. 4:12). La palabra de Dios nos hace entender claramente lo que Dios dice y desechar las voces de nosotros mismos, que no es otra cosa que las voces que satanás pone en nuestros oídos para confundirnos. Es la espada de Dios que destruye los argumentos del diablo, que va hasta la raíz misma de toda sustancia, y nos pone frente a frente con las intenciones verdaderas de toda palabra, ante todo aquello a que va encaminada. La palabra de Dios va encaminada a nuestro bien, en tanto que la palabra contraria a la palabra de Dios va encaminada a nuestra destrucción.

Existe un enorme poder en la iglesia. Nuestra oración desata lo atado por el enemigo, también desata las bendiciones que Dios nos ha conferido de antemano. «Todo lo que desatares en la tierra, será desatado en los cielos» (Mt. 16:19). Nosotros tenemos la llave que desata los oráculos de Dios: la oración basada en su Palabra. Dios nos ha confiado la administración de su justicia, que son sus oráculos, declaraciones, decretos y promesas, por lo tanto, permitir que la palabra de Dios sea pisoteada en algún área es una especie de corrupción o depravación que hace ceder terreno a nuestros enemigos. Muchas veces no es ignorancia, sino incredulidad lo que enfada al Señor. Por tanto, jamás debemos permitir que se haga vano el evangelio, los decretos de Dios en nosotros mismos y en otros. Nosotros tenemos poder para atar o desatar. No debemos permitir al diablo invalidar la palabra de Dios en nosotros individualmente, ya que el Señor nos ha dado el poder para atar y desatar, y el diablo lo sabe.

Hay quienes piensan que una enfermedad podría ser una lección que Dios nos esté dando. En tal caso, nos conviene arrepentirnos y ponernos a cuentas con Dios para así poder apropiarnos de la bendición de la salud comprara por Cristo Jesús.

Dios no es un Dios contradictorio. Él no es ilógico e irracional, su Palabra es consecuente, por tanto, nuestro evangelio debe ser totalmente consecuente. Si alguno predica un evangelio inconsecuente, Dios le pedirá cuentas por haber tergiversado su bendita Palabra.

Por tanto, en cuanto al tema de la sanidad, nuestra oración debe ser de acción de gracias, de reconocimiento, de fe, de acciones de fe. Y al orar así mantener nuestra fe será lo más importante hasta que veamos en lo natural lo que Dios ya hizo en lo espiritual. Con todo, pedimos al Espíritu Santo nos muestre si existe algún pecado que fuese un obstáculo para que la sanidad ocurra, y al habernos arrepentido y vuelto de nuestros malos caminos, Él extenderá su mano y hará efectivas sus palabras.

La necesidad del trabajo

«Sea la luz de Jehová nuestro Dios sobre nosotros, Y la obra de nuestras manos confirma sobre nosotros; Sí, la obra de nuestras manos confirma» —Salmos 90:17

Dios quiere que el trabajo lícito de nuestras manos sea confirmado y establecido. Él quiere que nuestro trabajo no sea en vano, más bien, nuestro Dios desea darnos buen pago por el trabajo de nuestras manos. Esa fue también la oración de Moisés, que el trabajo de él y de su pueblo fuera confirmado y establecido por el Señor.

Algunos han pensado erróneamente que el trabajo es una de las maldiciones que fueron parte del paquete que Adán recibió en la caída, sin embargo, vemos que Dios dio trabajo a Adán antes de que pecara, por tanto, el trabajo es una de las grandes bendiciones que nuestro Creador dio al hombre. El hombre que trabaja lícitamente siente bienestar, pues esto es parte esencial de nuestra naturaleza humana, aún sin considerar la parte espiritual (aunque ésta cobra relevancia al reconocer que existen demonios que promueven la pereza y la postergación).

Asimismo, el trabajo, desde que el hombre fue creado, fue una de sus mayores necesidades. Todo ser humano quiere sentirse útil, integrado y reconocido. Asimismo, que su trabajo sea valorado, tenido en estima y remunerado justamente. Por ello es que al hablar del tema de nuestras necesidades es importante también mencionar la necesidad del trabajo.

Oramos que Dios ponga delante de nosotros las oportunidades de trabajo que nos ayuden a cumplir cabalmente el propósito por el cual fuimos puestos sobre esta tierra. Evidentemente no toda naturaleza de trabajo es idéntica para cada cual, pues cada persona tiene sus propias habilidades y talentos. Existe un sin número de actividades que actualmente son reconocidas por la sociedad, y existe el trabajo que Dios reconoce legítimamente. El trabajo intelectual y el trabajo espiritual son trabajos que en algunas sociedades no son reconocidos, pero no por ello pierden su gran importancia. Cristo dijo, «Mi Padre hasta ahora trabaja, y yo trabajo» (Jn. 5:17). Esto prueba que aún nuestro Padre celestial trabaja. Él descansó después de seis días de trabajo al crear el universo. Y si nuestro Dios trabaja, esto significa que también nosotros trabajamos cuando hacemos lo que Él nos mande. Cristo tuvo el trabajo de predicar la palabra de Dios, de sanar toda enfermedad, de liberar a los oprimidos por el diablo. Cristo trabajó en enseñar el reino de Dios y en orar al Padre. La oración también es un trabajo espiritual. El Señor dice que honremos doblemente a quienes trabajan en predicar y enseñar (1 Ti. 5:17).

Las madres trabajan en la educación de los hijos, trabajo tan fundamental para una sociedad útil y fuerte. Es interesante que uno de los símbolos de las trece dobleces de la bandera americana está dedicado a las madres. La declaración dice: «El octavo pliegue es un homenaje a quien entró al valle de sombra de muerte para que podamos ver la luz del día, nuestra madre, para quien la bandera ondea en el día de la madre». Educar en el camino del Señor a los hijos es una de las más grandes tareas y el trabajo más digno y de mejor remuneración que pueda existir.

Cuando entramos al tema de las necesidades, el trabajo es uno de los puntos más importantes. No importa —en primer lugar— si obtenemos de ello recursos económicos o no, porque, aunque el trabajo trae consigo muchas veces una remuneración económica, no es ésta la que nos debe impulsar, sino el deleite de cumplir nuestro rol en nuestra familia, iglesia y sociedad en su conjunto. Booz dijo a Rut, «Jehová recompense tu obra, y tu remuneración sea cumplida de parte de Jehová Dios de Israel, bajo cuyas alas has venido a refugiarte» (Rut 2:12). Por tanto, el Señor desea que aún en esta vida veamos el fruto de nuestro trabajo, la remuneración que viene de su trono al estar refugiados en sus alas.

Hay quienes trabajan para hacer lo malo, hay quienes trabajan sin estar bajo las alas del Señor. Éstos son aquellos que hacen su propia voluntad y que no usan lo que viene a sus manos para la gloria de Dios. «Mejor es lo poco del justo, Que las riquezas de muchos pecadores» está escrito en Salmos 37:16; porque el justo utiliza ese poco que tiene para la gloria de Dios, en tanto que las riquezas de los pecadores son usadas según los designios de la carne, según la voluntad del príncipe de la potestad del aire. Es triste cuando una persona trabaja tan sólo para satisfacer los deseos temporales del pecado. Es deprimente cuando el fruto del trabajo de alguno es llevado a los altares de satanás, en todas sus formas y matices. Pero el justo ora por trabajo para ser un cauce de bendición. Nos dice Efesios 4:28: «El que hurtaba, no hurte más, sino trabaje, haciendo con sus manos lo que es bueno, para que tenga que compartir con el que padece necesidad».

Tengo la tesis de que cada persona será próspera si tan sólo es puesta en el lugar en donde pueda trabajar en aquello en que tiene talento y conocimiento. Si tan sólo pudiera identificar su talento, empezar, trabajar duro, tener un mentor confiable y ser constante hasta terminar, esto le llevará a un buen lugar. Sin embargo, nada de nuestro éxito humanamente hablando nos dará realmente una remuneración en la eternidad si no trabajamos para el Señor. Nos dice la Biblia: «Todo lo que hagáis, hacedlo de corazón, como para el Señor y no para los hombres» (Col. 3:23). En estos *hombres* estamos nosotros mismos también.

Oramos por tanto que nos sean abiertas aquellas oportunidades de trabajo en donde podamos desarrollar lo que tenemos; donde nuestros talentos, habilidades y conocimientos son estimados y pueden crecer; en donde podemos tener la remuneración suficiente para llevar el pan a la mesa y aún tener para compartir con los que tienen necesidad. Oramos para poder, mediante el fruto de nuestro trabajo, contribuir abundantemente a la obra de Dios sobre la tierra, y así ser pilares de su sostenimiento.

Elías estuvo deprimido, deseó morirse y fue a dar a una cueva. ¿Cuál era el problema de Elías? Había olvidado su propósito y por ello el Señor lo puso a trabajar. Que cuando el Señor regrese nos halle trabajando arduamente en su obra, haciendo aquello que contribuye al engrandecimiento de su reino sobre esta tierra.

La necesidad del descanso

«Y él dijo: Mi presencia irá contigo, y te daré descanso» —Éxodo 33:14

El descanso es otra de las grandes necesidades humanas. Sin el descanso las funciones y fortalezas de nuestro cuerpo no pueden repararse, esto es en el plano físico. Sin el descanso mental nuestra mente no estará preparada para la creatividad ni para el crecimiento en el Señor. Cada vez que nosotros dormimos, descansamos verdaderamente y nuestro cuerpo es literalmente restaurado. La actividad cerebral es suspendida y el milagro de la renovación comienza a efectuarse. Cuando descansamos en nuestra mente, tendremos luego un giro y la vertiente creativa se desata, pero cuando descansamos en el Señor, nuestro espíritu se fortalece y estamos listos para salir, pelear y vencer de nuevo a nuestros enemigos espirituales.

El descanso está íntimamente ligado con la presencia de Dios en nosotros. Dios dijo a Moisés, «mi presencia irá contigo» y la presencia del Señor produce paz. Cuando entró el Señor Jesús a puerta cerrada a sus discípulos, tan sólo a horas de efectuada su resurrección, por la noche, estando ellos aún muy atemorizados, dijo: «Paz a vosotros». La presencia del Señor en una vida produce descanso. «Venid a mí todos los que estáis trabajados y cargados, y yo os haré descansar» (Mt. 11:28).

Hablemos del descanso del sueño. Los científicos han comprobado que las deficiencias en el dormir están vinculadas con un incremento en el riesgo de enfermedades cardiacas y renales, alta presión, diabetes y enfermedades cerebrovasculares. Un mal dormir contribuirá a mayores períodos de tiempo para una tarea dada, reacciones más lentas y se producirán más errores. También interfiere en un buen aprendizaje, enfoque, cuando necesitamos tomar una buena decisión, cuando conducimos un vehículo, al controlar nuestras emociones, al recordar cosas y en nuestro comportamiento en la sociedad. Por el otro lado un buen dormir tiene que ver con un buen humor y mayor eficiencia en el trabajo. Cuando una persona duerme menos de lo normal o deficientemente, sus niveles de glucosa suben y tiende a tener más hambre debido a problemas hormonales. Un mal dormir también hace al organismo más vulnerable a infecciones.

En los niños, un buen dormir detona el crecimiento. También un sueño suficiente y de calidad juega un rol importante en la pubertad y en el desarrollo de la fertilidad; y tanto en niños como en jóvenes y adultos hace desarrollar músculos sanos y repara los tejidos.

No dormir lo suficiente ha sido la causa de miles de muertes en las carreteras, muchas más que las ocasionadas por el alcohol. Se han reportado serios accidentes en territorios delicados como el de las de plantas nucleares; accidentes de buques navieros y naves aéreas, todo por deficiencias en el descanso corporal.

La cantidad de sueño difiere de persona a persona y depende de la edad. Para los recién nacidos en general se recomiendan de dieciséis a dieciocho horas. Para un niño antes de que entre al jardín de niños es de once a doce horas. Para los niños de mayor edad no menos de diez horas. Para los adolescentes de nueve a diez horas por día; y finalmente para los adultos de siete a ocho horas diariamente, incluyendo los ancianos.

La luz azul no se recomienda para un buen dormir, y aún la ausencia total de luz favorecerá a una mejor calidad en el sueño. Es necesario eliminar la cafeína de nuestra dieta, la que se encuentra en el café, Coca-Cola, chocolate, té negro y muchas bebidas energizantes y gaseosas (mayormente por las noches). Debe dormirse cada día la misma cantidad de horas, sin importar el día que sea y tener un ritmo de ir a la cama y despertar a la misma hora después de encontrar cuál es la cantidad de tiempo que su cuerpo necesita realmente. También se recomienda no tomar alimentos pesados o en exceso sin considerar al menos un lapso de dos horas antes de ir a la cama. También la temperatura del recinto es importante, así como los ruidos externos. Mantener una vida activa, hacer ejercicios por la mañana y limitar una siesta a no más de veinte minutos también ayudará. Algunas personas acostumbran darse un baño con agua caliente o tomar tés de flores u otras plantas como la tila, la valeriana o el lúpulo antes de dormir.

Un mal dormir puede estar ligado a desordenes en los ciclos del tiempo de ir a la cama y despertar, a ansiedad, depresión, estrés, abuso del alcohol o drogas; o aún problemas físicos como enfermedades cardiacas, obesidad y alta presión entre otros.

Algunas veces se alaba a una persona muy ocupada que no tiene tiempo suficiente para dormir; sin embargo, la realidad es que caer en tal vicio provocará problemas en la salud física, mental, social y hasta espiritual. George Müller aconsejaba dormir suficiente y bien para tener una oración más efectiva.

Personalmente he orado por personas que tienen problemas espirituales que afectan su descanso físico gravemente y el Señor les ha liberado. Es muy importante acudir al Señor para pedir su consejo y su paz cuando tenemos problemas para descansar plácidamente pues esta es una de las necesidades básicas de la vida humana.

Pues bien, con este subtema concluyo por ahora el tema de las necesidades, un tema de la oración del Señor que por cierto no estará limitado a las cosas que menciono como sustanciales en este libro. Cuando Cristo dice: «El pan de cada día dánoslo hoy» se está refiriendo a todas aquellas necesidades esenciales para la vida humana que deben ser satisfechas diariamente. El

Señor, no sólo está preocupado por nuestro bienestar espiritual sino también por nuestro estado físico y mental, pues nos dice: «Glorificad, pues, a Dios en vuestro cuerpo y en vuestro espíritu, los cuales son de Dios» (1 Cor. 6:20).

CAPITULO 4

RELACIONES

E l Señor pasa al tema de las relaciones en la oración modelo cuando dice: «Y perdónanos nuestras deudas, como también nosotros perdonamos a nuestros deudores».

Evidentemente el ser humano es un ser social. Dios dijo, después de que creó al primer hombre sobre la tierra, después de ponerlo sobre el Edén, aquella tierra de ensueño: «No es bueno que el hombre esté solo» (Gn. 2:18). Por ello, no importa que tan paradisiaco sea el lugar en donde habitemos, pues, aunque sea éste un jardín del Edén, siempre necesitaremos tener buenas relaciones con los demás para ser felices. Dios quiere nuestra felicidad, por eso es que Él creó posteriormente a Eva para que acompañara al hombre que hubo creado y Eva asimismo se acompañara de aquel de donde ella misma fue tomada.

Debemos orar por la salud de nuestras relaciones. No por casualidad es que los dos mandamientos básicos de Cristo fueron sólo dos: Amar a Dios con todo el corazón, con toda muestra mente y fuerzas y a nuestro prójimo como a nosotros mismos. Nuestra relación con Dios mismo está ligada a nuestra relación con los demás, jamás estará ajena. Ninguno puede decir que ama a Dios sin amar al prójimo, pues está escrito: «Si alguno dice: Yo amo a Dios, y aborrece a su hermano, es mentiroso. Pues el que no ama a su hermano a quien ha visto, ¿cómo puede amar a Dios a quien no ha visto?» (1 Jn. 4:20).

El que ora a Dios con una limpia conciencia Dios le ama. Está escrito: «Orará a Dios, y éste le amará, Y verá su faz con júbilo; y restaurará al hombre su justicia (Job 33:26). También dice: «El sacrificio de los impíos es abominación a Jehová; más la oración de los rectos es su gozo» (Prov. 15:8). Nosotros somos perdonados por Dios cuando perdonamos a los demás, de nada sirve pedir perdón a Dios sin antes no hemos perdonado a aquel (o aquellos) que nos ha (han) ofendido. Hemos recibido el perdón de Dios desde la cruz cuando Cristo Jesús dijo: «Padre perdónalos, porque no saben lo que hacen» (Lc. 23:34); sin embargo, es un requisito para ser perdonados perdonar a nuestros semejantes, pues está escrito: «Porque si perdonáis a los hombres sus ofensas, os perdonará también a vosotros vuestro Padre celestial; mas si no perdonáis a los hombres sus ofensas, tampoco vuestro Padre os perdonará vuestras ofensas (Mt. 6:14-15). Asimismo, en el capítulo 1 de la primera carta de San Juan (y de hecho a través de toda su epístola) nos habla de tener comunión con nuestros hermanos a fin de tener comunión con Dios mismo. Tener comunión con nuestros semejantes es andar en luz, por ello nos dice: «Pero si andamos en luz, como él está en luz, tenemos comunión unos con otros, y la sangre de Jesucristo su Hijo nos limpia de todo pecado» (1 Jn. 1:7). Esto significa que, si tenemos comunión y perdonamos a nuestros hermanos, Dios ya nos ha limpiado de todo pecado mediante la sangre de Cristo vertida en la cruz por nosotros, por lo que su perdón automáticamente se hace efectivo y lo aceptamos por la fe con gozo.

Perdón a nuestros semejantes

«Si confesamos nuestros pecados, él es fiel y justo para perdonar nuestros pecados, y limpiarnos de toda maldad» —1 Juan 1:9

Toda vez que un pecador viene a las plantas del Señor, se declara delante de Él como un ofensor, como un transgresor de su ley, culpable y merecedor de la condenación, Dios les perdonará y restaurará. Él le hará una nueva persona, una nueva creación. Confesar nuestro pecado es declararnos pecadores delante del Señor y causantes de su muerte en la cruz. Cada vez que un pecador presenta con humildad su condición delante de Cristo, delante del trono de misericordia, Él ha prometido que no le rechazará, pues dijo: «Al que a mí viene, no le echo fuera» (Jn. 6:37) y también: «Al corazón contrito y humillado no despreciarás tú, oh Dios» (Sal. 51:17).

Sin embargo, después de que Dios, el Rey de gloria y majestad infinita, nos ha perdonado nuestros miles de pecados, Él quiere que vayamos a la calle, y al encontrarnos con aquel que nos ha ofendido en lo poco (pues nada se comparará a ser culpables de la muerte de su amado Hijo Jesús), le perdonemos de todo corazón. De esta manera el Señor continuará con su misericordia y tenemos amplia y generosa entrada al cielo si permanecemos en Él. De otra manera, las puertas que dan al trono de misericordia del Señor se cerrarán y quedaremos expuestos a las llamas del infierno hasta que seamos capaces de perdonar.

He escuchado a algunos decir: «No le puedo perdonar todavía, necesito tiempo, lo que me hizo es demasiado grave...»; sin embargo, nada será mayor a lo que nosotros hicimos al Hijo de Dios, pues por nuestra causa es que Él murió. Si consideramos que nosotros somos la víctima siendo malos, ¡cuanto más nuestro Señor que jamás cometió pecado! Por lo tanto, mientras no decidamos perdonar de todo corazón a nuestros ofensores, permaneceremos en la cárcel de la amargura, recibiendo los latigazos de demonios y siendo expuestos a la condenación. Así de grave es este asunto.

Leemos Mateo 18:34 en donde Jesús dice: «Entonces su señor, enojado, le entregó a los verdugos, hasta que pagase todo lo que debía». ¿Cuándo podría pagar con cárcel todo lo que debía? Si un talento (lea todo el pasaje de la parábola) equivale al salario de dieciséis años de un jornalero, 10,000 talentos entonces se traducen a 160,000 años en prisión, ¿No es esto símbolo de una eternidad? Y no habla el Señor del futuro sino del presente, pues quien no perdona ya está en la condenación, pues en otra parte dice: «El que cree no es condenado; pero el que no cree, ya ha sido condenado, porque no ha creído en el nombre del unigénito Hijo de Dios» (Jn. 3:18).

Por tanto, al entrar al cuarto de oración debemos perdonar en ese momento en nuestro corazón. Cristo dice: «Y cuando estéis orando, perdonad, si tenéis algo contra alguno, para que también vuestro Padre que está en los cielos os perdone a vosotros vuestras ofensas» (Mc. 11:25). Podemos decir entonces, que la vigencia del perdón que el Señor nos ha otorgado está supeditada al perdón que nosotros asimismo demos a nuestros ofensores en cualquier tiempo que la ofensa sea perpetuada. Y si setenta veces viene y nos pide perdón, dice el Señor, perdónale. Pero si no viene a pedirte perdón, también perdónale mientras estés orando, porque Cristo nos perdonó cuando aún éramos pecadores (Rom. 5:8), en la oración que elevó al Padre estando suspendido de la cruz. Si estamos crucificados con Cristo, desde la cruz perdonaremos con una oración al Padre a todos nuestros ofensores. Esto es por nuestro propio bienestar, pues dice: «Mirad por vosotros mismos. Si tu hermano pecare contra ti, repréndele; y si se arrepintiere, perdónale» (Lc. 17:3) [énfasis mío].

Todo ser humano necesita respeto y ser respetado

«Pagáis a todos lo que debéis: al que tributo, tributo; al que impuesto, impuesto; al que respeto, respeto; al que honra, honra» —Romanos 13:7

Todo ser humano necesita dar respeto para recibir respeto verdadero. Esto es parte fundamental en nuestras relaciones. La palabra de Dios nos enseña a mostrar respeto a quienes son merecedores de ese respeto. Podemos orar por tener buenas relaciones con los demás, pero si no seguimos ese principio fundamental de nada servirá.

Tener respeto involucra la gratitud sincera que demostramos hacia los demás cuando nos otorgan algún bien. Cada vez que alguien hace algo bueno a nuestro favor tenemos la responsabilidad de mostrar respeto. Dice la palabra que el respeto es una deuda que tenemos que pagar, tal y como una deuda monetaria que tuviéramos con el gobierno, es decir, los impuestos.

En primer lugar, el respeto tiene que ver con una demostración de gratitud. No importa que convivamos a diario con una persona, cada vez que ésta haga algún servicio para nosotros debemos mostrar gratitud. Gratitud hacia nuestros padres, conyugue, hermanos, compañeros de trabajo, compañeros de escuela, amigos, maestros, vecinos, etc. Esto se puede hacer mediante nuestras palabras solamente, enviando una tarjeta, un correo electrónico, y en ocasiones hasta con un mensaje de texto bastará. Tantas veces sea posible debemos mostrar gratitud.

En segundo lugar, el respeto implica mostrar regocijo sincero por los talentos de otros, por sus logros y peldaños avanzados. La palabra de Dios dice: «Gozaos con los que se gozan» (Rom. 12:15). Es sumamente importante mostrar una admiración sincera por los demás. Siempre encontraremos personas mejores que nosotros en algún área, por eso es que la palabra de Dios nos dice: «Nada hagáis por contienda o por vanagloria; antes bien con humildad, estimando cada uno a los demás como superiores a él mismo» (Fil. 2:3). Todos son superiores a nosotros en algún aspecto, y ello tenemos que reconocerlo y aplaudirlo. El mismo Señor dijo, cuando contó la parábola del mayordomo infiel, cómo el amo de éste alabó su astucia. Esto significa que todas las personas tienen alguna cosa buena digna de ser mencionada, aún las personas que no conocen al Señor.

Cuando alabamos a una persona por sus logros, talentos y cualidades cooperamos en el plan de Dios para ellos y para nosotros mismos. El apóstol Pablo tuvo una lista muy larga de personas de las cuales hablar bien y trató de mencionarlas al principio y al final de sus cartas. Tan sólo en Romanos dieciséis Pablo menciona más de treinta de ellas, y muchas más son mencionadas en lo demás de sus escritos.

Es de los hijos de Dios mostrar respeto con las personas menos favorecidas de la sociedad, aquellas que han pasado por crisis severas y han soportado catástrofes o infortunios. Sabemos que muchas de las cosas negativas que nos pasan tienen que ver con nuestras propias decisiones, sin embargo, nada ayudará en nuestras relaciones condenando a alguien, por el contrario, al mostrarle respeto por las cualidades mostradas en su vida nos hará ganar su amistad y seremos gratificados por el Señor.

Cumplir nuestras promesas denotará el respeto que guardamos por una persona. Salomón en el libro de Eclesiastés nos dice: «Mejor es que no prometas, y no que prometas y no cumplas» (Ecl. 5:5). Cuando hacemos una promesa al Señor, Dios la toma en cuenta y al no cumplirla estamos mostrando falta de respeto por su persona. De igual manera con algún ser humano. Cuando vamos a Dios en oración le rogamos que nos de sabiduría para abrir nuestra boca y de esta manera encontrar gracia en las personas. Al prometer y cumplir nuestras promesas con las personas encontramos gracia ante ellas, lo mismo con el Señor. Dios honra a los que le honran (1 Sam. 2:30). Dios honrará a sus siervos obedientes que diariamente cumplen su pacto de entera lealtad.

Mejorar nuestras relaciones no es algo sencillo y esto implica una intención férrea de generosidad, humildad, respeto y muchos otros valores cristianos. Es una siembra desinteresa de respeto y aprecio sincero por los demás que con el tiempo tendrá sus frutos. El proverbio nos dice: «Riquezas, honra y vida Son la remuneración de la humildad y del temor de Jehová» (Prov. 22:4).

Dios desea que tengamos buenas relaciones con todos. Nos dice la Escritura: «Si es posible, en cuanto dependa de vosotros, estad en paz con todos los hombres» (Rom. 12:18). Sin embargo, no deba confundirse el respeto verdadero con aquel concepto satánico de respeto que consiste en cerrar nuestra boca para no hablar del evangelio de Cristo. Por el contrario, nuestro pensamiento es que toda persona tiene derecho que le comuniquemos el evangelio y debemos hacerlo por amor a ella, pues al hacerlo estamos dándole una oportunidad para ser salvo de la condenación. En nuestra oración, el Espíritu Santo nos recuerda aquellas veces que no mostramos aprecio y respeto por alguno y nos impulsa a tomar decisiones y acciones que mejoren nuestras relaciones. Primero con nuestro conyugue, nuestros hijos, nuestros hermanos en la iglesia y demás personas que nos rodean.

Hablemos sobre el perdón en la pareja

«Y si siete veces al día pecare contra ti, y siete veces al día volviere a ti, diciendo: me arrepiento; perdónale» —Lucas 17:4

En la palabra de Dios existen muchos pasajes que nos instan a pedir perdón tan pronto sea posible y perdonar a nuestros ofensores. «Ponte de acuerdo con tu adversario pronto, entre tanto que estás en el camino...» (Mt. 5:25), Cristo nos ordena pedir perdón y perdonar sin necesidad de que el ofensor nos pida perdón, es más, que seamos prácticamente *inofendibles* [neologismo que significa la capacidad de no ofenderse], pues nos dice: «Para que seáis irreprensibles y sencillos, hijos de Dios sin mancha en medio de una generación maligna y perversa, en medio de la cual resplandecéis como luminares en el mundo» (Fil. 2:15).

Moisés fue una de esas raras personas que había desarrollado una relación con Dios tal, que cuando sus propios hermanos hablaron mal de él, éste, que era el varón más manso de la tierra, no se ofendió, ni deseó que el juicio de Dios viniera sobre ellos, más bien, intercedió en su favor. Está escrito: «Y aquel varón Moisés era muy manso, más que todos los hombres que había sobre la tierra» (Núm. 12:3). Entonces Moisés clamó a Jehová, diciendo: «Te ruego, oh Dios, que la sanes ahora» (Núm. 12:13), pues María su hermana, había sido tocada por la consecuencia de su maldad y su carne fue llena de lepra. Quien estuvo ofendido era Dios y no Moisés. Este hombre aquí es tipo de Cristo y Cristo a su vez precursor de todos nosotros en Él.

«Todo hombre sea pronto para oír, tardo para hablar, tardo para airarse» (Stg. 1:19). Jamás vemos ofendido a Cristo por algo que le hicieran, sino más bien, las veces que estuvo airado fue por la injusticia de otros (que afectaba la salvación de ellos mismos y la de aquellos en quienes influían), y por la incredulidad en los suyos. El hombre y mujer de Dios que desarrollan el carácter de Cristo son *inofendibles* y tardos para airarse.

Esta es una de las bases fundamentales de las relaciones humanas y piedra angular del matrimonio. Una definición creativa que considero muy cierta en mi propia mente, es que el matrimonio es una amalgama humana, perpetua y lícita ante Dios, que consiste en amar, perdonar y cooperar mutuamente. En el matrimonio todos los días tenemos que perdonar hasta el punto de ser *inofendibles*, pues quien es ejercitado en el perdón, llegará un día que logrará ser *inofendible*. Por otro lado, en el matrimonio, tenemos que llegar al punto de no ofender jamás. Nos dice la palabra: «Porque todos ofendemos muchas veces. Si alguno no ofende en palabra, éste es varón perfecto, capaz de refrenar todo su cuerpo» (Stg. 3:2).

Es imposible no ofender a los que no tienen a Cristo cuando hablamos y nos comportamos como el Señor. Pues el simple comportamiento justo del Hijo de Dios ofende a los impíos. Nos dice Pedro por el Espíritu: «Baste ya el tiempo pasado para haber hecho lo que agrada a los gentiles, andando en lascivias, concupiscencias, embriagueces, orgías, disipación y abominables idolatrías.[4] A éstos les parece cosa extraña que vosotros no corráis con ellos en el mismo desenfreno de disolución, y os ultrajan» (1 P. 4:3-4). Por tanto, cuando dice Santiago, nosotros ofendemos muchas veces, esto incluiría al mismo Cristo, quien ofendió muchas veces a los fariseos. Por ejemplo, nos dice: «Entonces acercándose sus discípulos, le dijeron: ¿Sabes que los fariseos se ofendieron cuando oyeron esta palabra?» (Mt. 15:12). La respuesta de Cristo no fue una disculpa, sino dijo: «Toda planta que no plantó mi Padre celestial, será desarraigada.[14] Dejadlos; son guías de ciegos; y si el ciego guiare al ciego, ambos caerán en el hoyo».

Entonces Santiago dice que cuando una persona no menciona una palabra que tiene su raíz en el egoísmo, en la avaricia, hipocresía, en la envidia, en todas esas cosas que contaminan al hombre (Mt. 15:18-19), éste es varón perfecto, capaz de refrenar todo su cuerpo. Por otro lado, la palabra traducida aquí por Reina-Valera como ofender es *«ptaio»* que significa «hacer tropezar o caer a alguien».

En el matrimonio Dios dice que el amor y el respeto mutuos, someternos el uno a otro y servirnos son esenciales. Jamás debemos esperar que el otro haga lo que un cristiano verdadero debe hacer, no. Hagámoslo nosotros primero, pues Cristo primero murió por nosotros para que nosotros muramos luego por Él. Y si decimos que ya hemos sembrado mucho y no hemos cosechado, el Espíritu Santo nos vuelve a decir: «No nos cansemos, pues, de hacer bien; que a su tiempo segaremos, si no desmayamos» (Gal. 6:9). Y también: «No seas vencido de lo malo, sino vence con el bien el mal» (Rom. 12:21).

En nuestra oración podemos mencionar aquello que nos ofende de nuestro conyugue y rogarle al Señor que nos dé su carácter para perdonar; perdonemos en la oración, ahí mismo, postrados a sus pies, y dejemos que el perdón del Señor invada todo nuestro ser. Ahí, a los pies del Señor, dejamos todas las ofensas recibidas y nos llenamos de su amor. Ahí, el Espíritu

Santo nos hace comprender nuestros propios errores y nos ayuda a tener comprensión. Ahí, a sus pies, desarrollamos respeto, cooperación y un espíritu de siervo para con el hombre o la mujer que el Señor ha puesto a nuestro lado. Es en el tema de las relaciones en donde nosotros forjamos nuestro corazón para agradar a nuestro conyugue y así fortalecer nuestra relación matrimonial.

Por otro lado, los solteros cristianos oran por su futuro matrimonio, para que el Señor forje una relación lícita y poderosa con la persona que les ayudará en el cumplimiento de su plan eterno en ellos. Pues la voluntad de Dios es que oremos, no sólo por las relaciones que hemos ya establecido, sino por aquellas que vemos mediante la fe.

Todo en el marco establecido por el Señor es de pureza y buena conciencia; los solteros que se consagran a Cristo dirigen con perseverancia sus oraciones por el chico o chica lleno de Dios que compartirá su vida con ellos. Esta es una de las oraciones que más diligencia, perseverancia y fe exigen; y cuya decisión más sabiduría involucran.

Entendemos que toda bendición viene por causa de una buena relación con Dios y con nuestro prójimo. Es por eso que Cristo establece la santa cena como una ordenanza perpetua: «Haced esto en memoria de mí» (Lc. 22:19). Aquel día memorable, el Señor lava los pies de sus discípulos y les enseña que el fluir de todas las bendiciones tiene dos vertientes principales. En primer lugar, Dios mismo, el Padre de las luces de donde proviene todo bien, quien ha designado a Jesucristo, su Hijo amado para ser la vía de todo bienestar que recibimos (pues por Él y para Él son todas las cosas y todo por medio de Él, vea Colosenses 1.16;), y esto mediante su sangre; y, en segundo lugar, mediante el cuerpo de Cristo, la iglesia. sus manos, sus pies, su boca. Aquellas maravillosas personas que al ponerse en sintonía con el Espíritu Santo se convierten en las avenidas de bendición del Todopoderoso, representantes y agentes de Cristo mismo.

La sexualidad

«No os neguéis el uno al otro, a no ser por algún tiempo de mutuo consentimiento, para ocuparos sosegadamente [quieta, pacíficamente] en la oración; y volved a justaros en uno, para que no os tiente Satanás a causa de vuestra incontinencia»
—1 Corintios 7:5

La sexualidad es parte importante de nuestra relación conyugal y por ello también debemos orar. Existen quienes «castigan» al conyugue al negarse. Sin embargo, el Señor dice: «No os neguéis el uno al otro». El «castigo» en la pareja no es un método que tenga sustento bíblico y echará a perder la relación antes que ayudarla a restablecerse. En nuestra oración delante del Todopoderoso hablamos también del aspecto de nuestra sexualidad como una de las cosas más íntimas y privadas que expresamos ante Aquel que todo lo sabe y ante quien podemos acudir con toda nuestra confianza. Nuestra sexualidad debe ser desarrollada como lo enseña la palabra de Dios: «en santidad y honor», mayormente de la que manifiesta el hombre con su mujer, quien es el vaso más frágil. Nos dice Pedro: «Vosotros, maridos, igualmente, vivid con ellas sabiamente, dando honor a la mujer como a vaso más frágil, y como a coherederas de la gracia de la vida, para que vuestras oraciones no tengan estorbo» (1 P. 3:7). Aquel varón que no muestra un trato delicado y gentil con su mujer denigra su propia vida y aleja su alma de la gracia y el favor de Dios.

Hay ocasiones que tenemos problemas para disfrutar nuestra sexualidad en el marco lícito establecido por Dios, en el matrimonio. De ello debemos contarle al Señor en oración, pues Él tiene cuidado de todas las cosas, y ésta es un área muy importante también. La santidad es la plataforma de nuestra relación sexual con nuestro conyugue. Dios estableció el sexo, no solo para la procreación y preservación de la raza humana, sino como el símbolo de unión completa de un amor lícito en el marco cristiano. Una razón de gozo y alegría que no avergüenza sino dignifica, regenera, reconstruye y mantiene la llama del amor. Pablo le llama, «un gran misterio» (Ef. 5:32). Una unión mística, es decir, que encierra un misterio, y que simboliza en su forma más pura y santa la relación de Cristo con la iglesia. ¡Aleluya! En quien su esposa se goza: «Gocémonos y alegrémonos y démosle gloria; porque han llegado las bodas del Cordero, y su esposa se ha preparado» (Apo. 19:7). Evidentemente, todo redimido en las bodas del cordero es asexual, pues es como los ángeles, y jamás podremos describir el gozo que nuestra unión definitiva y máxima con el Señor será, sin embargo, el matrimonio en esta tierra es uno de sus mejores ejemplos. Isaías por el Espíritu nos dice: «Pues como el joven se desposa con la virgen, se desposarán contigo tus hijos; y como el gozo del esposo con la esposa, así se gozará contigo el Dios tuyo» (Is. 62:5).

El valor del reconocimiento

«Me regocijo con la venida de Estéfanas, de Fortunato y de Acaico, pues ellos han suplido nuestra ausencia.[18] Porque confortaron mi espíritu y el vuestro; reconoced, pues, a tales personas» —1 Corintios 16:17-18

Me gustaría ahondar un poco más acerca del tema de las relaciones. Es sumamente importante que el hombre y mujer de Dios cultiven cualidades que les llenen de satisfacción y esto se traduce en el cultivo de buenas relaciones con los demás. La Biblia nos dice: «Considerémonos unos a otros para estimularnos al amor y a las buenas obras» (Heb. 10:24). El amor no busca lo suyo, el amor no tiene envidia, no es jactancioso, no se envanece. Cuando el amigo del esposo está de bodas, aquel se alegra del gozo de éste. Está escrito: «El que tiene la esposa, es el esposo; más el amigo del esposo, que está a su lado y le oye, se goza grandemente de la voz del esposo» (Jn. 3:29). Todo hijo de Dios se regocija grandemente con los logros y triunfos de sus consiervos. Se alegra como si fuera los de él mismo.

El hijo e hija de Dios reconocen el esfuerzo, el trabajo y dedicación de otros. No ve rivales, no se llena de envidia. Por envidia fue que crucificaron a Cristo (Mt. 27:18); por envidia vendieron a José, el hijo de Jacob (Gn. 37:11). El verdadero cristiano no se enfada cuando a su hermano le va bien, no hace como hizo Caín, que se enfadó del éxito de su hermano. No trata de destruir el mérito de los demás, ni opacar sus esfuerzos mencionando los suyos propios o los de otros. El legítimo hijo de Dios no desacredita a sus hermanos, pues satanás trató de desacreditar al justo

Job. Pues hay quienes dicen: «Mi señor tarda en venir»; y luego comienza a golpear a sus consiervos (Mt. 24:48-49).

Las palabras que desacreditan el mérito de otros son como golpes de espada (Prov. 12:18). Sus palabras nocivas trastornan casas enteras (Tit. 1:11) y aún en su loco desenfreno, se atreven a blasfemar de las potencias superiores —de cosas que no entienden—, y de calumniar a aquellos que destacan y muestran buena conducta en Cristo.

Pero el siervo de Dios alaba a los suyos y extraños. Considera atentamente la conducta, la doctrina, el arduo trabajo en otros y los valora y estima. El mismo Cristo dijo: «Yo conozco tus obras, y tu arduo trabajo y paciencia... y has sufrido, y has tenido paciencia, y has trabajado arduamente por amor de mi nombre, y no has desmayado» (Apo. 2:2, 3). Pablo dijo de María, «que ha trabajado mucho entre nosotros» (Rom. 16:6) y luego, «saludad a la amada Pérsida, la cual ha trabajado mucho en el Señor» (Rom. 16:12).

Ciertamente siempre podremos encontrar algo negativo que hablar de otros, pero toda persona tiene algo bueno digno de mención. En nuestra oración hablemos bien de otros ante el Señor, cultivemos la humildad, pues Dios resiste a los soberbios y da gracia a los humildes. Así como nosotros somos estimados por el Señor, otros también lo son. Muchos piensan que son favoritos ante el Señor, pero considere las palabras del apóstol Pablo al decir: «Miráis las cosas según la apariencia. Si alguno está persuadido en sí mismo que es de Cristo, esto también piense por sí mismo, que como él es de Cristo, así también nosotros somos de Cristo» (2 Cor. 10:7).

Y es verdad que muchos miran según la apariencia y no pueden discernir al siervo fiel y prudente que se encuentra dentro de un estuche de pobreza aparente o de ignorancia o de cualquier otra descalificación que el mundo suele tener sobre la gente. El proverbio nos dice: «El que carece de entendimiento menosprecia a su prójimo» (Prov. 11:12). Sin embargo, ninguno puede alabar y reconocer a su prójimo y mayor aún a sus consiervos con real sinceridad sino es por obra del Espíritu Santo. La naturaleza caída siempre tenderá al egoísmo, a la envidia y a los antivalores cristianos. Pero en la oración nos llenamos del Espíritu de Dios. Si no podemos manifestar tal conducta, Dios, que conoce nuestros corazones lo sabe, y es inútil esconderlo. Conviene, por tanto, confesar nuestras debilidades y pedir al Señor que nos dé las cualidades que mejorarán nuestras relaciones y nos ayudarán a desarrollar todo su propósito en nuestra vida.

Orar por verdaderos amigos

«El hombre que tiene amigos ha de mostrarse amigo; y amigo hay más unido que un hermano» —Proverbios 18:24

En tiempos en que muchos pueden tener cientos y hasta miles de «amigos» en el Facebook, estamos realmente viviendo una crisis de amigos reales. El investigador Robin Ian MacDonald Dunbar, uno de los más sobresalientes antropólogos y sociólogos de la Gran Bretaña, hizo un análisis profundo sobre el fenómeno social que estamos viviendo en nuestros días con el surgimiento de las redes sociales y declaró, que mientras el promedio de amigos que una persona suele tener en su FB es de 150, en el momento de que ésta pase por alguna crisis, el número de personas que realmente están dispuestas a ser solidarias se reduce a tan sólo cuatro y tan sólo catorce podrían ser quienes tengan simpatía sincera.

Y lo que sucede es que FB fue el invento perfecto para una humanidad que está ilusionada en ser popular. Se basa en la ilusión del corazón humano de tener un millón de amigos. Sin embargo, más bien, la popularidad de este instrumento demuestra lo marginados que estamos, lo solitarios que solemos vivir. Lejos de otros, ensimismados en nosotros mismos. FB es el espejismo de tener amigos sinceros y reales. Personas en quienes realmente se puede confiar en tiempos de crisis. Porque un verdadero amigo es más unido que un hermano, aquel que no ve nuestra circunstancia actual, si no que ama en todo tiempo: «En todo tiempo ama el amigo, y es como un hermano en tiempo de angustia» (Prov. 17:17).

Creo que una de las más grandes oraciones, adecuada a los tiempos de hoy, es que el Señor nos dé amigos. Los amigos verdaderos son un regalo de Dios, personas despojadas de egoísmo que están dispuestas a tendernos la mano y a cooperar en todo momento con nosotros. Esto tan sólo el Señor puede concederlo.

Cristo dijo de sus amigos: «Pero vosotros sois los que habéis permanecido conmigo en mis pruebas» (Lc. 22:28). Y son los verdaderos amigos los que en los momentos más difíciles siempre están ahí. No es nada fácil encontrar amigos sinceros, mayormente en este mundo egoísta en el que vivimos actualmente. Sin embargo, Dios es poderoso para proveer las personas que necesitamos que estén a nuestro lado. Cristo, que tuvo doce amigos (que luego se redujo a once), dijo: «Nadie tiene mayor amor que este, que uno ponga su vida por sus amigos.[14] Vosotros sois mis amigos, si hacéis lo que yo os mando.[15] Ya no os llamaré siervos, porque el siervo no sabe lo que hace su señor; pero os he llamado amigos, porque todas las cosas que oí de mi Padre, os las he dado a conocer» (Jn. 15:13-15). Claro, hubo otras muchas personas más que eran amigos del Señor y aún Jesús menciona a Lázaro como su amigo (Jn. 11:11).

Es más difícil para el pobre tener amigos, pues dice: «El pobre es odioso aun a su amigo; Pero muchos son los que aman al rico» (Prov. 14:20). Sin embargo, también dice: «El hombre que tiene amigos, ha de mostrarse amigo; y amigo hay más unido que un hermano» (Prov. 18:24). En otras palabras, para tener amigos tan unidos como un hermano, hemos de comportarnos primero como nosotros quisiéramos que un verdadero amigo se comporte con nosotros (Mt. 7:12; Lc. 6:31).

Es necesaria la sabiduría de Dios para seleccionar nuestros amigos. No se trata de personas que tengan simplemente aficiones comunes, sino valores comunes. No son precisamente aquellos con quienes podemos ir a un partido de futbol los que estarán calificados a ser verdaderos amigos, sino los que obedecen de corazón los mandamientos del Señor. David dijo: «Compañero soy yo de todos los que te temen Y guardan tus mandamientos» (Sal. 119:63).

Y una vez que los hemos seleccionado, rogamos al Señor en oración que nos los conceda, si éstos están en sus planes para el cumplimiento de su propósito en nosotros y el de ellos (y nosotros como instrumentos). Esa fue la oración de Pablo: «Pero nosotros, hermanos, separados de vosotros por un poco de tiempo, de vista pero no de corazón, tanto más procuramos con mucho deseo ver vuestro rostro» (1 Ts. 2:17). Y también dice: «Porque testigo me es Dios, a quien sirvo en mi espíritu en el evangelio de su Hijo, de que sin cesar hago mención de vosotros siempre en mis oraciones, rogando que de alguna manera tenga al fin, por la voluntad de Dios, un próspero viaje para ir a vosotros» (Rom. 1:9-10).

Pablo aún rogaba por los amigos que aún no había conocido y declara por el Espíritu: «Porque quiero que sepáis cuán grande lucha sostengo por vosotros, y por los que están en Laodicea, y por todos los que nunca han visto mi rostro» (Col. 2:1). Nosotros tenemos amigos potenciales alrededor nuestro. Gente que Dios cambiará con el evangelio. Aún enemigos que se convertirán en nuestros más fieles amigos mediante la intervención poderosa del Señor. También hay muchos que aman al Señor igual que nosotros y que anhelan conocernos; basta con salir afuera y buscarlos. Cristo buscó amigos, fue ese pastor que fue por la oveja perdida. Cada vez que salimos de casa vamos en busca de amigos de Dios y una gran amistad inicia con una sonrisa.

CAPITULO 5 ●●● TENTACIONES

E l tema de las tentaciones es el último tema de la oración de Cristo. El Señor Jesús dijo: «Y no nos metas en tentación, más líbranos del mal». Y aunque ciertamente todo cristiano está bajo la sombra del Altísimo, también es verdad que es nuestra responsabilidad clamar constantemente al Señor para ser librados de nuestros enemigos.

Tenemos enemigos. Es imposible no tenerlos. Aun y procuremos la paz con todos, dice el apóstol Pablo, «Por lo demás, hermanos, orad por nosotros, para que la palabra del Señor corra y sea glorificada, así como lo fue entre vosotros,[2] y para que seamos librados de hombres perversos y malos; porque no es de todos la fe» (2 Ts. 3:1-2). El Señor Jesús tuvo enemigos, no porque los quisiera tener, sino que le envidiaban, contradecían su doctrina, eran manipulados por satanás, el archienemigo de Dios. Satanás está airado con la humanidad, pero particularmente con los hijos de Dios, con la iglesia. Sabemos que dicen las

Escrituras: «Porque no tenemos lucha contra sangre y carne, sino contra principados, contra potestades, contra los gobernadores de las tinieblas de este siglo, contra huestes espirituales de maldad en las regiones celestes» (Ef. 6:12).

Tenemos un enemigo cósmico, el líder de un gran ejército espiritual que comanda la maldad. Pero no estamos desamparados, «mayor es el que está en vosotros, que el que está en el mundo» (1 Jn. 4:4) ¡Gloria a Dios! Sin embargo, no podemos pasar por alto que estamos rodeados de maldad, pero sí podemos ser librados. Es verdad que las estadísticas tocarán a cualquiera, pero nosotros tenemos armas que debemos usar, porque el Señor nos ha revelado la verdadera naturaleza de nuestra lucha. No es contra carne o sangre, no es contra lo físico, contra lo que el resto del mundo lucha. Nosotros sabemos que nuestra lucha es espiritual. Por ello, jamás debemos ponernos al mismo nivel de los que están a merced del enemigo, en nuestro caso, aunque nuestra lucha sea dura, el Señor nos dará siempre la victoria. «Mas a Dios gracias, el cual nos lleva siempre en triunfo en Cristo Jesús» (2 Cor. 2:14).

Por otro lado, nosotros, aunque estamos rodeados de debilidad, nuestra fortaleza está en el Señor. Los del mundo «confían en carros, y aquéllos en caballos; Más nosotros del nombre de Jehová nuestro Dios tendremos memoria.[8] Ellos flaquean y caen, Mas nosotros nos levantamos y estamos en pie» (Sal. 20:7-8). Esta debilidad de la que hablo es nuestra propia naturaleza humana. Una naturaleza que se equivoca, que falla, que hierra el blanco tantas veces, por ello dice el Pablo a Timoteo: «Ten cuidado de ti mismo...» (1 Ti. 4:16). Nuestro peor enemigo está dentro de nosotros mismos y éste es el primero del que debemos tener cuidado. En alguna ocasión le preguntaron a D.L. Moody, el gran evangelista del siglo XIX, lo siguiente: «D.L., ¿A quién consideras tu más grande enemigo?» él contestó y dijo: «Mi más grande enemigo se llama D.L. Moody».

Podemos decir que prácticamente todo el mal en que podemos caer está circunscrito en la palaba tentación, por eso el Señor dijo que oráramos: «No nos metas en tentación...», y añade «... líbranos del mal». Veremos en este capítulo por qué la tentación es el medio por el que el mal entra a la esfera de nuestra vida.

Pruebas y luchas

«Hermanos míos, tened por sumo gozo cuando os halléis en diversas pruebas,[3] sabiendo que la prueba de vuestra fe produce paciencia» —Santiago 1:2-3

La primera especie de tentación a que haremos referencia trata de las pruebas y luchas que tenemos en la vida. Aquellas cosas que nosotros no deseamos, pero que vienen a consecuencia de nuestra vida cristiana. Dios permite que el tentador, que es el diablo y satanás, nos tiente de esta manera para que nuestra fe sea pasada por el fuego y de esta manera se fortalezca. Dios quiere que nuestra fe se fortalezca.

La prueba de nuestra fe produce paciencia. Una espera mesurada y llena de confianza, que no se violenta ni altera hasta que el momento preciso de actuar ha llegado. Ciertamente muchas cosas en nuestra vida llevarán un proceso, y si no tenemos paciencia en el proceso podrá ser abortado una y otra vez, por lo tanto, la paciencia es indispensable para que los propósitos de Dios sean realidad en nosotros.

En las luchas y pruebas nosotros somos tentados a dudar del amor de Dios. Somos tentados a claudicar y volver atrás en nuestra vida cristiana. Somos tentados a perder la fe y a extraviarnos de ella; somos tentados a ir tras los sentidos simplemente; a confiar en el hombre antes que en el Señor. En las luchas y pruebas somos tentados a desmayar y a dudar de los cuidados de Dios, a que Él realmente sea veraz y cumplidor de todas sus promesas.

Cuando Job estuvo en su gran prueba hubo quien le sugiriera que maldijera a su Dios. Que atribuyera al Señor algún despropósito, pero él se mantuvo, no renegó de Él, ni falló en su fe. Abraham, llamado *el padre de la fe*, «tampoco dudó, por incredulidad, de la promesa de Dios, sino que se fortaleció en fe, dando gloria a Dios» (Rom. 4:20). Nosotros al igual que él, al seguir sus pisadas de fe, podemos dar gloria a Dios en toda circunstancia; y cuando el diablo venga a estrecharnos, nosotros nos levantamos en fe, y nos fortalecemos al decir, ¡Gloria a Dios!

No todos los problemas evidentemente son causados directamente por el diablo, pues otros se deben simplemente a nuestra negligencia, pereza, falta de pericia, de previsión y de sensatez. Es interesante que la insensatez está incluida en la lista de pecados que Cristo menciona que se anidan en el corazón y que contaminan al hombre (Mc. 7:22). Sin embargo, satanás es quien facilita y planea nuestros errores, pues conoce muy bien la naturaleza humana y en particular nuestras propias debilidades. Por ello es que dice el apóstol: «Para que satanás no gane ventaja alguna sobre nosotros; pues no ignoramos sus maquinaciones» (2 Cor. 2:11), es decir, sus formas de operar.

En nuestra oración, en el último tema, el tema de las tentaciones, mencionamos muchos pasajes que atribuyen a Dios sus cualidades de salvador, protector, ayudador, sanador, abogado... Él es quien nos sacará de la prueba, pues la hemos superado. Está escrito: «No os ha sobrevenido ninguna tentación que no sea humana; pero fiel es Dios, que no os dejará ser tentados más de lo que podéis resistir, sino que dará también juntamente con la tentación la salida, para que podáis soportar» (1 Cor. 10:13).

Dios sabe que la tentación viene en un paquete en donde jamás faltará también la salida. Él no permitirá que la tentación que el diablo esté orquestando en nuestra contra sea mayor a la que podemos soportar. Si somos tentados significa que ha llegado la hora de ser promovidos por el Señor, y esto debe alegrarnos, Dios sabe que podemos. El Espíritu nos llevará al desierto, al lugar en donde el tentador vendrá, pero al mismo tiempo nos fortalecemos en fe, vamos a la Palabra, la leemos, aprendemos y escudriñamos. Rumiamos cada una de sus letras, ahí están las vitaminas que nos darán fuerza para vencer, ¡somos vencedores en Cristo!

Sufrir por la causa de la predicación del evangelio

«Y ellos salieron de la presencia del concilio, gozosos de haber sido tenidos por dignos de padecer afrenta por causa del Nombre» —Hechos 5:41

En el Nuevo Testamento cada vez que se menciona el sufrimiento en los cristianos se refiere a las dos cosas que mencionó Jesús que los legítimos hijos de Dios sufrirían. Veamos, Jesús dijo: «Bienaventurados los que padecen persecución por causa de la justicia, porque de ellos es el reino de los cielos.[11] Bienaventurados sois cuando por mi causa os vituperen y os persigan, y digan toda clase de mal contra vosotros, mintiendo.[12] Gozaos y alegraos, porque vuestro galardón es grande en los cielos; porque así persiguieron a los profetas que fueron antes de vosotros» (Mt. 5:10-12).

Estas dos cosas —la persecución debido a la justicia, y la persecución debido a la predicación de la Palabra— parten de Cristo y son por causa de Él. Se refieren a sufrir por la justicia y sufrir persecución por predicar el evangelio. El sufrimiento de los hijos de Dios —el autorizado por el Señor—, es por causa de vivir su justicia, es decir, vivir conforme a lo que ordenan las Escrituras; y, por predicar y enseñar que sean obedecidas las cosas que el Señor Jesús mandó en su precioso evangelio. ¿Por qué es esto? Porque Él quiere que disfrutemos de su santidad, que reinemos con Él, pues dice: «Si sufrimos, también reinaremos con él; Si le negáramos, él también nos negará» (2 Ti. 2:12). Dice también: «Pues tengo por cierto que las aflicciones del tiempo presente no son comparables con la gloria venidera que en nosotros ha de manifestarse» (Rom. 8:18). Las Escrituras también nos dicen: «Y también todos los que quieren vivir piadosamente en Cristo Jesús padecerán persecución» (2 Ti. 3:12). Es necesario aprender la paciencia (Rom. 5:3); es necesaria la instrucción del

Señor, «de la cual todos [sus hijos] han sido participantes» (Heb. 12:8). Es necesario ser participantes de los padecimientos de Cristo, pues está escrito: «Sino gozaos por cuanto sois participantes de los padecimientos de Cristo, para que también en la revelación de su gloria os gocéis con gran alegría» (1 P. 4:13).

Pero, así como por Cristo somos perseguidos y padecemos, por su vida y por su muerte, también por el mismo Cristo somos consolados. Está escrito: «Porque de la manera que abundan en nosotros las aflicciones de Cristo, así abunda también por el mismo Cristo nuestra consolación» (2 Cor. 1:5). El mismo Señor por quien sufrimos, también nos saca de toda aflicción y nos lleva a senderos de paz.

En la historia del cristianismo se pueden contar miles y quizá cientos de miles de fieles seguidores del Señor que han sufrido el martirio por causa de compartir su fe en Jesucristo. Ahora mismo hay muchos que están padeciendo por causa de la predicación del evangelio, tal y como ocurría en el primer siglo. Todo aquel que padece por predicar a Cristo se hace merecedor de gran galardón en los cielos. Desde Esteban, que vemos registrado como el primero, y cuya historia se encuentra registrada en Hechos capítulo siete, muchos otros han sido participantes de esta gloria. Algunos famosos, como los apóstoles (los cuales todos, excepto Juan) murieron por la causa del Señor, luego otros como Policarpo, Wycliffe, Juan Huss, Guillermo Tyndale, Jim Elliot y sus amigos... pero existen quizá cientos de miles de nombres que tan sólo sabremos de ellos cuando estemos en la presencia del Señor.

En la teología de hoy poco se habla de este tema, pero ignorarlo significa ignorar decenas de porciones enteras de las Escrituras, quizá cientos de versículos bíblicos. En nuestra oración oramos que el Señor nos libre de los enemigos del evangelio, y que nos dé paciencia para soportar la tentación. Vamos en oración para no caer en las provocaciones del diablo y glorificar a Dios en nuestros corazones y estar preparados para presentar defensa (1 P. 3:15). Pedimos del Espíritu Santo para hablar más de Cristo, presentarlo con ánimo, con denuedo, con gran entusiasmo y brío, con plena certeza de fe, con la unción de lo alto. Que seamos convincentes y llevemos todo pensamiento cautivo al Señor. El Señor le dijo a Ezequiel: «Abre tu boca, y come lo que yo te doy» (Ez. 2:8). Nuestro Dios nos dice, abre tu boca, sin importar las consecuencias. Así es como vive el verdadero hijo de Dios.

Sufrir por la justicia

«Entonces los gobernadores y sátrapas buscaban ocasión para acusar a Daniel en lo relacionado al reino; más no podían hallar ocasión alguna o falta, porque él era fiel, y ningún vicio o falta fue hallado en él.[5] Entonces dijeron aquellos hombres: No hallaremos contra este Daniel ocasión alguna para acusarle, si no la hallamos contra él en relación con la ley de su Dios» —Daniel 6:4-5

La otra forma autorizada en las Escrituras, bajo los términos del Nuevo Pacto, para sufrir, es sufrir por causa de la justicia. ¿Cuántas veces nos vemos presionados a hacer algo que va contra de la ley de Dios? ¿Cuántas veces los hombres nos quieren obligar a mentir o robar o defraudar a otros al perseguir lo material o el prestigio personal? Todavía existen (y cada vez más quizá) ambientes en todo el mundo que están saturados de corrupción. Lugares en donde mentes corruptas trabajan para los fines demoniacos y a nosotros, estando cerca y siendo parte del proceso, nos quieren involucrar.

En ocasiones de este involucramiento depende nuestra permanencia en el empleo y al «fallar» en tal comportamiento nos echan. ¿Le ha sucedido alguna vez? Esto es sufrir por causa de la justicia. Cuando nos oponemos al aborto, a la homosexualidad, a la eutanasia; cuando nos oponemos a las leyes que contrarían la ley de Dios; cuando no vamos con la corriente del mundo, a las modas, a los caprichos de los famosos, a las aficiones ilícitas de las multitudes. Esto genera discriminación, miradas con recelo, odios escondidos en los corazones, inspirados por el mismo satanás, que luego se traducen en trampas para dañarnos. Son estas mismas personas, que sintieron que nosotros nos creíamos más santos que ellos, las que luego se confabulan en nuestra contra para expulsarnos de sus círculos y hacer que el mundo entero nos cierre las puertas.

Ser expulsado de la sinagoga era algo muy grave para un judío. Nos dice la Biblia que «aún de los gobernantes, muchos creían en él; pero a causa de los fariseos no lo confesaban, para no ser expulsados de la sinagoga» (Jn. 12:42). Sin embargo, aquel ciego de nacimiento que el Señor sanó en Juan 9, luego después de que dijo: «Y sabemos que Dios no oye a los pecadores; pero si alguno es temeroso de Dios, y hace su voluntad, a ése oye» (Jn. 9:31), le expulsaron de la sinagoga por atreverse a tratar de enseñar a aquellos fariseos incrédulos. A Cristo mismo le expulsaron de Gadara, después de hacerles bien al liberar a aquellos endemoniados (Mt. 8:28-34). En otra ocasión dice el texto bíblico que Jesús no fue recibido en una aldea de los samaritanos (Lc. 9:51-53). Aún toda la nación de Israel no recibió a Cristo (Jn. 1:11).

Hay quienes quieren ganar a todo el mundo, pero luego el Señor les llama necios y personalmente les dice: «Esta noche vienen a pedirte tu alma» (Lc. 12:20). «El que no es conmigo, contra mí es; y el que conmigo no recoge, desparrama» (Lc. 11:23). Hay quienes quieren conciliar a Cristo con Belial, y la luz con las tinieblas. Que quieren ser sagaces y estar con los judíos judaizantes y con los gentiles al mismo tiempo, pero Pablo denunció al mismo Pedro, y en su relato, entre líneas, le llamó hipócrita (Gal. 2:11-13). Hay quienes se visten de virtud mientras están en un grupo, y más tarde se visten de «tolerancia» mientras están en otro. Esas personas no quieren sufrir por la justicia. Las buenas noticias son que no sufrirán por esta causa. Las malas noticias son que sufrirán por el daño que satanás les cause en esta tierra y si continúan con su necia actitud, al tener que enfrentar la eternidad, no tendrán parte con el Señor y esto para siempre. ¿Cuál es nuestra elección?

Quien cede ante la tentación del enemigo de pisotear la justicia, Dios de ello le pedirá cuentas y no saldrá bien librado. Hay quienes no hacen nada ante las injusticias que están viendo con sus propios ojos, teniendo el poder para evitarlas. Continúan en la compañía de los inicuos que iban en la turba que arrestó a

Cristo, es decir, en el tumulto de quienes tratan mal a las personas que sufren injustamente. Pues tácitamente dan su consentimiento y como Pilatos se lavan las manos. Pudiendo alzar la voz, deciden callar. Todo esto es negar la justicia. Pero el que sufre por la justicia, no le importa el sufrimiento aquí, le interesa que el evangelio brille, que el testimonio de Cristo sea engrandecido y que la bandera de justicia sea enarbolada. Éstos corren el riesgo de ser arrestados juntos con aquellos a quienes defienden, y sufren también, pero Dios les da gran galardón. Por eso dice la Palabra: «El reino de los cielos sufre violencia, y los valientes lo arrebatan» (Mt. 11:12).

Oramos que el Señor nos de fortaleza para no ceder ante la tentación del diablo de negar a Cristo, y que siendo predicadores fervorosos de la justicia, cuando llegue la opresión del enemigo, luego, vencidos por el miedo, pisoteemos lo que hubimos predicado. Oramos que nunca tal cosa suceda, sino que a costa de lo que sea necesario mantengamos la fe hasta el final. Por eso Cristo oraba: «No nos metas en tentación, más librarnos del mal».

Tentación de deleites

«Velad y orad, para que no entréis en tentación; el espíritu a la verdad está dispuesto, pero la carne es débil» —Mateo 26:41

«La carne es débil» —dicen algunos— citando parte de la declaración de Cristo para justificar su pecado. Y aunque el Señor Jesús afirmó esto, también nos dio la fórmula para ser vencedores. La solución está en no entrar en la tentación. Es un principio sencillo: lo que para una persona puede significar una gran tentación, para otra, esto mismo, no le producirá emoción alguna. Por ejemplo, si para alguien el pastel de chocolate le fascina y, tratando de mantener una dieta baja en calorías, está haciendo el propósito de no comerlo, el ver un apetitoso pastel de chocolate sobre la mesa le será una gran tentación. Sin embargo, para quien no le gusta en lo absoluto el pastel de chocolate, tal tentación no representa nada.

De esta manera, explica Cristo, cuando una persona mantiene una poderosa vida de oración los apetitos de la carne se vendrán abajo. Lo que antes representaba una enorme tentación, ahora, bajo una vida en el Espíritu, no es más que un elemento que no le representa ningún deseo. Esto es lo que hace el Espíritu de Dios en armonía con nuestro espíritu: cauteriza la carne, la ata y la envía a los calabozos más profundos de nuestro ser, para que quieta ahí, no nos cause problemas de pecado.

Nuestra lucha contra el pecado debe ser hasta la sangre. Nos dice el libro de Hebreos: «Porque aún no habéis resistido hasta la sangre, combatiendo contra el pecado» (Heb. 12:4). ¿Por qué es esto tan importante? Porque una vida libre de pecado nos abre las puertas a muchas garantías y bendiciones de Dios. El pecado destruye una conciencia limpia y desencadena una ola de sufrimientos innecesarios en nuestra vida, echando a perder todo o parte del propósito de Dios en nosotros y; aún a muchos ha arrastrado al infierno. «La paga del pecado es muerte» (Rom. 6:23). La muerte no es sólo el colapso último de una vida, sino la destrucción gradual célula por célula. El pecado, por más pequeño que nos parezca, tiene una consecuencia mortífera y poco a poco, empezando por el 1% irá haciendo morir todo en nosotros, nuestra vida espiritual, nuestra vida emocional, intelectual y física.

El pecado es un gran problema para el ser humano. Todo pecado se gesta en el corazón, en medio de una vida espiritual débil. No es la oración después de haber entrado a la tentación lo que nos impedirá pecar, Cristo dijo que la oración sirve para no entrar en tentación. Es muy probable que aquel que ha llevado una vida de negligencia espiritual (una vida sin oración), los placeres y deleites pecaminosos le resultarán cada vez más atractivos, hasta el punto de entrar en la tentación. Luego, estando en medio de ella, y atado como por los tentáculos de un gran pulpo o como por un largo y grueso cuerpo de serpiente alrededor, será finalmente seducido y caerá en pecado.

Este es el proceso del que nos habla Santiago. Las Escrituras dicen: «Cuando alguno es tentado, no diga que es tentado de parte de Dios; porque Dios no puede ser tentado por el mal, ni él tienta a nadie;[14] sino que cada uno es tentado, cuando de su propia concupiscencia es atraído y seducido.[15] Entonces la concupiscencia, después que ha concebido, da a luz el pecado; y el pecado, siendo consumado, da a luz la muerte» (Stg. 1:13-15) La palabra concupiscencia es una palabra griega, *epifamía*, que significa deseo, codicia, lujuria. Esta enfermedad del alma aparece cuando el espíritu dentro de nosotros se ha debilitado, cuando no hemos ido a hablar con el Señor para recibir fortaleza.

Dice entonces la Biblia que esta carroña se va acumulando y haciendo fuerte dentro de nosotros; luego funciona como un imán al pecado; y cuando el tentador, trayendo en sus manos la tentación de la carne, viene, el resultado es desastroso. Por ello nos dice el apóstol Pedro, a quien Cristo le dio la fórmula del éxito contra la tentación: «Amados, yo os ruego como a extranjeros y peregrinos, que os abstengáis de los deseos carnales que batallan contra el alma» (1 P. 2:11). Así que, si dejamos de alimentar a esa concupiscencia y más bien, nos ocuparnos en alimentar el espíritu, esto nos ayudará a **no** entrar en tentación. Abstenernos de los deseos carnales equivale a llevar una vida de oración y vigilancia en la palabra de Dios; a mantener la llama del Espíritu Santo.

El Señor dijo que oráremos, «no nos metas en tentación» y esto involucra un proceso que inicia desde el centro mismo del corazón. Veamos de nuevo el pasaje de 1 Pedro 2:11. Es erróneo que al tener la tentación encima, y que debido a una vida espiritualmente descuidada por ello estemos cargados de concupiscencia, hasta entonces roguemos al Señor que no permita que pequemos, ¡no! Esto no es lo que Dios quiere. Lo que Pedro nos dice es: ¡Andad en el Espíritu! Cuando oramos fervientemente pidiendo por el Espíritu de Dios, Él vendrá y caminará con nosotros, es entonces cuando *los deseos de la carne no se satisfarán*. El mismo Espíritu Santo nos jala a las cosas buenas que edifican y fortalecen nuestra alma para evitar que entremos en tentación. En otras palabras, una vida de oración y en el Espíritu hará la metamorfosis diaria de una nueva creación en nosotros. La metamorfosis de la vida en Cristo y a través de Cristo y del poder del Espíritu Santo. Esto es una vida de victoria.

Tentación al orgullo

«Antes del quebrantamiento es la soberbia, Y antes de la caída la altivez de espíritu» —Proverbios 16:18

Otra de las tentaciones que el enemigo pone al hijo de Dios es el orgullo, la altivez de espíritu, o arrogancia, términos sinónimos. Ciertamente el ser humano pasa por diferentes etapas durante su vida. Ciertamente hay tiempos en que no hay suficiente y otros en que hay abundancia, vacas flacas y gordas. El apóstol Pablo dijo: «He aprendido a contentarme, cualquiera que sea mi situación.[12] Sé vivir humildemente, y sé tener abundancia; en todo y por todo estoy enseñado, así para estar saciado como para tener hambre, así para tener abundancia como para padecer necesidad» (Fil. 4:11-12).

El apóstol Pablo nos dice que la humildad es algo que se aprende. Es algo de lo que tenemos que tomar clases, no en un salón de clases, sino en el cuarto de oración; pero otras veces en la escuela que la vida misma otorga. Muchas veces el Señor permite que padezcamos situaciones para enseñarnos, porque de otra manera jamás aprenderíamos. Vivir en abundancia requiere enseñanza, requiere la enseñanza de la humildad. Ya lo había dicho Cristo: «Llevad mi yugo sobre vosotros, y aprended de mí que soy manso y humilde de corazón; y hallaréis descanso para vuestras almas» (Mt. 11:29). La humildad se debe aprender de Cristo y su ganancia es el descanso de nucstras almas, paz. Observe a Cristo en las Escrituras y aprenderá a ser humilde. En nuestra oración pedimos al Señor que nos ayude a ser como Jesús, pues tenemos su mente, esto es, sus sentimientos y pensamientos. Que nuestro corazón sea moldeado, que aprendamos a comportarnos dignamente, como siervos, como gente que se sitúa en su lugar, no mayor al que debe de tener, y que piensa con cordura.

Nabucodonosor era un gran rey y su reino tuvo de todo. Era considerado el más majestuoso de toda la tierra. Su esplendor había sido producto de grandes decisiones, de batallas suntuosas y saturadas de brillante estrategia militar. Sus jardines colgantes eran una de las más grandes maravillas de la tierra. Ciertamente Nabucodonosor tuvo razones para sentirse orgulloso. Sin embargo, su error fue no reconocer al Señor, más bien llenó su corazón de él mismo y atribuyó su reino a su propio mérito. Esto le llevó a ser humillado. Llegó a ser como un animal por siete años, su mente se volvió la de una bestia, hasta que aprendiera a reconocer al Señor.

La abundancia no sólo será económica, también puede ser de conocimiento, de posición, de poder, de relaciones humanas, etc. Todo aquello de lo el mundo suele enaltecerse en su corazón. «El que se enaltece será humillado...», el diablo sabe esto y constantemente nos tentará al orgullo, para que digamos en nuestro corazón: *Soy grande, todo esto lo he logrado porque soy fuerte y soy inteligente, este mérito es mío y de nadie más.* Pero el Señor escucha nuestros pensamientos. Y es verdad que somos fuertes, inteligentes y capaces, pero todo esto proviene del Señor. Dicen las Escrituras: «No es que seamos competentes por nosotros mismos para pensar algo como de nosotros mismos, sino que nuestra competencia proviene de Dios» (2 Cor. 3:5).

El orgullo es una actitud del corazón, no es algo que se pueda ver ni escuchar, aunque hay sus vertientes, sus pistas más evidentes. Cuando se mira con desprecio al prójimo, porque juzgamos ser más inteligentes, más ricos, más poderosos. Porque juzgamos que nosotros vivimos mejor, que tenemos mejores cosas, etc. Porque tenemos mayores conocimientos, más lucidez, más claridad en un asunto. Cuando hablamos desmedidamente de nuestros méritos, de nuestros logros, de aquello que nos hace ser sobresalientes ¡Qué tontería! La caída se ha desatado, viene como caminante.

Un día un sujeto que trabajaba duro en una importante compañía fue promovido a ser vicepresidente. Cuando este hombre recibió el cargo inmediatamente se la pasó diciéndoles a todos que había sido promovido y que ahora le llamaran *Sr. vicepresidente*. Su esposa, apenada por la actitud e insolencia de su esposo, le dijo: «Esposo mío, está bien que hayas sido promovido, pero sabías que hoy en día casi cada persona es vicepresidente. Hay hasta vicepresidente del departamento de chícharos en el supermercado de la esquina». Aquel hombre se quedó pensativo, y luego decidió ir al supermercado para cerciorarse que lo dicho por su esposa era verdad. La mañana siguiente fue y pidió hablar con el vicepresidente del departamento de chícharos del supermercado: «¿Podría hablar con la persona a cargo de la vicepresidencia del departamento de chícharos?» —preguntó—, «sí, claro» —le respondieron amablemente —, «¿de los frescos o de los congelados?».

Muchas veces pensamos ser algo en esta tierra, cuando en realidad no lo somos, no tenemos todo el mérito, nunca lo vamos a tener, muchos son los participantes, y Dios es quien nos alimenta y fortalece a todos. En la Biblia leemos el caso del rey Herodes, quien no dio gloria a Dios cuando el pueblo le aclamaba diciendo: «¡Voz de Dios y no de hombre!» (Hch. 12:22). El fin de este hombre fue muy triste, pues inmediatamente, el ángel del Señor le hirió, por cuanto no dio gloria a Dios, y cayó comido de gusanos (Hch. 12:23). Hoy en día podríamos o no ver tan claros ejemplos de lo detestable que es para el Señor el orgullo, pero si acaso no vemos algo como el caso de Herodes, no por ello deja de serlo. Dios detesta tanto el orgullo, que, al nosotros mostrarlo, inmediatamente Él aparta su favor, y el resto sólo es el trámite del fracaso.

Tener poder es la prueba de la humildad. Abraham Lincoln dijo en una ocasión, «Si quieres ver qué calidad tiene una persona sólo dale un poco de poder». El poder ha destruido a muchas personas, las denigra a personas jactanciosas. Su enfermedad es un cáncer que lleva a la muerte física y espiritual y a la postre juzgamos que quizá hubiera sido mejor que nunca hubieran tenido ese poder.

Satanás, quien es el tentador, hace todo cuando puede para que nos envanezcamos. A Cristo mismo lo tentó para usar su propia investidura como Hijo de Dios para tentar (o desafiar) a su propio Padre. «Si eres hijo de Dios, échate abajo; porque escrito está: A sus ángeles mandará cerca de ti, y, En sus manos te sostendrán, Para que no tropieces con tu pie en piedra» (Mt. 4:6). Ésta es una sutil manera de envanecerse. Si el enemigo se atrevió a tentar al mismo Jesús, el Hijo de Dios, no descansará en su labor maléfica de tentarnos, que quizá nos encuentra en debilidad y así caemos en sus redes.

Por esta causa tenemos que orar fuertemente, que el Señor nos fortalezca, que aprendamos a ser humildes, que pensemos con mesura y pongamos las cosas en la perspectiva de la eternidad. Oremos: «Señor, librarnos del mal de caer en cualquier jactancia, porque si algo soy es por causa de ti. Te doy gracias también por aquellos que han sido instrumentos tuyos para ayudarme en mi pequeña parte dentro de esta enorme tarea de darle continuidad a tu reino en esta generación».

Problemas diversos causados directamente por el reino de las tinieblas

«Y el Señor me librará de toda obra mala, y me preservará para su reino celestial. A él sea gloria por los siglos de los siglos. Amén» —2 Timoteo 4:18

Finalmente hay muchas cosas que nos pueden afectar causadas directamente por satanás. No es por negligencia, por pereza, por falta de pericia, más bien, simplemente suceden. No son provocadas por nuestro orgullo o vanagloria, ni por pecados de alguna especie. No son resultado de la concupiscencia, ni siquiera tienen que ver con la predicación del evangelio ni con nuestro comportamiento cristiano. Se trata de aquello que el enemigo causa, evidentemente, de alguna manera, pero se atribuye al error humano, a circunstancias fortuitas o inopinadas, que suceden sin haberlas podido contemplar ni prevenir. Se atribuyen a los caprichos de la naturaleza o quizá a la mala fortuna de haber estado ahí en el lugar equivocado en el instante equivocado.

Para estas cosas también oramos. El apóstol Pablo nos revela la promesa de Dios: «El Señor me librará de toda obra mala». En otras Escrituras leemos: «Jehová te guardará de todo mal; El guardará tu alma» (Sal. 121:7). Estas son promesas poderosas del Señor que nos conviene hacer efectivas. Otra palabra de Dios poderosa la encontramos en 1 Juan 5:18: «Sabemos que todo aquel que ha nacido de Dios, no practica el pecado, pues Aquel que fue engendrado por Dios le guarda, y el maligno no le toca». Si el enemigo no logra hacernos pecar y mantenemos una vida de santidad de carne y espíritu; si mantenemos también en santidad nuestro cuerpo físico ofrendado al Señor ayunos y una vida de vigilancia en nuestra salud, siempre creyendo que en la cruz fuimos sanos por Jesucristo de Nazaret de Galilea, lo que queda al enemigo es causarnos algún mal directamente. Y hay casos en que el mal no es producido por el evangelio ni por la justicia, es tan sólo mal, llanamente mal, un mal discreto.

Sin embargo, de eso tampoco tiene potestad el enemigo cuando sabemos que hay promesas poderosas de Dios para protegernos. «Jehová te guardará de todo mal» y «todo mal» incluye también los errores humanos, las negligencias y torpezas de otros. Incluye los ataques de la naturaleza (sobre la cual también nosotros tenemos dominio). Cristo nos dice (esto en mis propias palabras): ¡Ora! ¡Ora que el Padre te libre de todo mal! En Judas también leemos: «Y a aquel que es poderoso para guardarnos sin caída» (Jud. 1:24). El Señor es poderoso para protegernos del mal, de toda especie de mal.

Algo muy importante que tenemos que siempre considerar es que no es porque seamos buenos, ni porque seamos mejores que otros que somos librados del mal. No es porque Dios nos tenga como hijos predilectos o porque nosotros seamos privilegiados. Tampoco es porque seamos esforzados o consagrados a Dios, ni aún es porque le sirvamos. Tenemos la protección de Dios por la misma razón por la que se alcanzan el resto de sus promesas, por fe.

Cuando David estuvo al borde de una gran tragedia en Siclag, cuando sus enemigos llevaron cautivas a sus mujeres y niños, él se fortaleció en Jehová su Dios (en otras palabras, se llenó de fe) y el Señor respondió a sus preguntas. El texto bíblico dice: «Y David consultó a Jehová, diciendo: ¿Perseguiré a estos merodeadores? ¿Los podré alcanzar? Y él le dijo: Síguelos, porque ciertamente los alcanzarás, y de cierto librarás a los cautivos» (1 Sam. 30:8). Pablo afirma en fe: «El Señor me guardará de toda obra mala». Así debemos decir nosotros. En otra ocasión cuando el Apóstol hablaba de la tribulación que tuvo él con sus amigos en Asia, afirma por el Espíritu: «...para que no confiásemos en nosotros mismos, sino en Dios que resucita a los muertos; el cual nos libró, y nos libra, y en quien esperamos aún nos librará, de tan gran muerte» (2 Cor. 1:9, 10).

Sabemos que tenemos que morir físicamente un día, esto es, por supuesto, parte de la naturaleza humana. Sin embargo, adoptar una actitud pasiva no es lo correcto. Si fuera así, entonces estos pasajes bíblicos no tuvieran sentido, ni tampoco que Cristo nos ordenara orar: «Líbranos del mal». Rogamos por tanto que no muramos sin antes cumplir todo el propósito de Dios para nosotros aquí en la tierra. Rogamos con fe que el Señor nos libre de accidentes, negligencias, errores involuntarios nuestros o de otros. Tomamos autoridad en el nombre de Cristo Jesús aún de las fuerzas de la naturaleza. Tantos testimonios poderosos que he escuchado acerca de la protección del Señor sobre estas cosas. A nosotros también Dios nos librará de todo mal.

Es importante mencionar que cada vez que el Señor nos hable en alguna manera a tomar las precauciones debidas, jamás debemos de escatimar. Nunca eche por tierra la voz del Señor para tomar las medidas de seguridad. Dios está a favor de que tomemos las medidas necesarias. Hay, sin embargo, ocasiones en que tendremos que tomar riesgos por ser esto necesario. Sea como fuere, oramos: «Señor, líbranos del mal» y confiados en sus promesas, Él lo hará.

CONCLUCIONES

Los cinco temas de la oración de Cristo ha sido escrito para brindar una idea metodológica de la manera en que Cristo oraba, tal y como Él mismo lo expresa en las Escrituras. Dios escucha a un pecador arrepentido, sin importar la manera que él o ella ore. De la misma manera millones de personas han orado en todo el mundo a través de los siglos sin conocer ningún método y sus oraciones son escuchadas. No es el método en sí, sino la fe. Es la confianza y seguridad con que acudimos al trono del Todopoderoso. Es creer los oráculos de Dios lo que importa. Sin embargo, si la oración modelo está en la Biblia es por una razón: debemos orar con el entendimiento. Orar con la sabiduría de Dios y mencionando los temas esenciales es la idea que el Señor quiere transmitir. De esta manera es como Cristo enseña a orar a sus discípulos y como nos enseña a orar a todos nosotros.

Cuando oramos, estamos luchando contra el diablo, pero lo derrotamos con la fe en la Palabra, siempre mencionando con autoridad el nombre poderoso de Jesucristo de Nazaret de Galilea. Lo derrotamos con nuestra diligencia y perseverancia. Lo hacemos huir porque Cristo vive en nosotros y estamos cubiertos con su sangre preciosa. Somos vencedores en la lucha. Nuestra victoria está escrita, es una declaración poderosa del Padre y del Espíritu Santo.

Nuestra oración es libre, Dios no quiere robots que oren. No quiere rezadores, ni máquinas reproductoras de voz. Quiere seres humanos de carne y hueso que abran su corazón. Y aunque en el método de Cristo hay cinco temas, éstos pueden tener la métrica a la que el Espíritu Santo nos lleve. Se adaptan a circunstancias específicas, a momentos, a urgencias que surgen de pronto. Existe absoluta flexibilidad; sin embargo, Dios está en el método, Él lo hizo y Él es quien tiene toda la sabiduría. El método debe estar dirigido por el Espíritu de Dios y Él mismo es la meta. Por ello en todos los temas debemos pedir por el Espíritu Santo, por su dirección y consejo; por su poder e ímpetu; por sus milagros e intervención sobrenatural.

Adoramos en primer lugar, esta es la puerta de entrada. Subimos al trono con una ofrenda de labios, no debemos jamás entrar con peticiones sino con dádivas nacidas del alma. Esto nos invita a adorar en el Espíritu, a decir santo, santo, santo, toda la tierra está llena de su gloria. Nos llena de gozo, de un *aleluya* en nuestros labios. Nos hace adorar con certeza plena, saturados de verdad, y con profundo agradecimiento. Agradecemos la sabiduría que nos ha dado para obedecerle, la fuerza para el trabajo, la salud que obtuvimos por las llagas de Cristo. Por la autoridad y poder depositada en nosotros por el Señor. Le adoramos cantando, enamorando al Señor en recuerdo de su bondad.

Luego viene *el tema del propósito.* Nos recordamos a nosotros mismos que hemos renunciado a nuestros sueños, hemos dejado al *yo* clavado en la cruz y ahora le seguimos. Tomamos ahora seriamente las instrucciones del Señor para cada minuto de nuestra vida. Porque el que vive para agradar al Señor está ocupado cada minuto en servirle. Lo hace con vehemencia, no importando el costo, aún y esto signifique sufrimiento. Nuestro propósito está resumido en *la gran comisión*, en predicar con obra y voz, en enseñar para hacer discípulos: presentar maduro a todo hombre y madura a toda mujer para el encuentro con el Esposo, Cristo Jesús.

La primera etapa del propósito de Dios en nosotros es que nos llenemos de su reino. Que su reino se establezca y reestablezca día a día en nuestros corazones. Su paz, su gozo, su justicia. Su justicia consiste en el sacrifico de Cristo y de lo ordenado por Él en sus decretos y sus leyes. El gozo es una satisfacción plena de estar caminando con Él; y, su paz sobrepasa todo entendimiento y sólo se genera cuando Él dice: «Paz a vosotros» al tiempo de que le invocamos.

Luego viene el entendimiento de su voluntad. Su voluntad de gobierno universal, aquello que Él ha establecido en su soberanía, tanto en sus leyes como en sus decretos, tanto en sus promesas como en las garantías otorgadas por dos hechos consumados: su muerte y su resurrección. Esta es la voluntad de Dios que lleva adosada el pensamiento humano, y camina palmo a palmo con nuestro libre albedrío. También pedimos que su voluntad profética sea cumplida, pues sabemos que no debemos dar por sentado que Dios hará algo sin que nosotros oremos por ello primero. Esto es una regla que vemos en las Escrituras y por la cual la Esposa del Cordero dice en unísono con el Espíritu: «Ven, Señor Jesús». Oramos por su voluntad específica en nosotros y por la salvación de los perdidos, pues haciendo esto estaremos contribuyendo en gran medida en los planes que Él estableció desde antes que el mundo fuese.

En el tercer tema de la oración de Cristo reconocemos nuestra debilidad humana y las necesidades a las que día a día estamos sujetos. La necesidad del alimento, del abrigo, del vestido digno de un redimido por la sangre de Cristo. Asimismo, nos recordamos que la necesidad de la salud fue suplida por Cristo, por su provisión al padecer y morir por nuestras enfermedades y dolencias en la cruz, en aquel madero sanguinolento. Finalmente, el descanso es una de las más grandes necesidades humanas que día a día debemos de satisfacer para vivir una vida abundante, la vida que ofrece el Señor a todo aquel que cree.

Pasamos entonces, al terminar el tema de las necesidades, al tema de las relaciones. En este tema oramos por nuestro prójimo de una manera más intensa. Recordamos las ofensas que hemos recibido y las clavamos en la cruz. Decidimos perdonar todo aquello que nos trajo algún conflicto y se lo decimos de todo corazón al Señor. Mientras oramos perdonamos mediante la gracia de Dios.

En el tema de las relaciones recordamos que el respeto a los demás es la semilla que genera respeto y honra para nosotros mismos. Que la gratitud sincera y el reconocimiento del talento, trabajo y cualidades de los demás nos llevará por una senda de buenos y duraderos amigos. Pues sabemos que toda bendición de Dios viene por la vía directa de la sangre de Cristo y de su cuerpo, que es la iglesia. Todo ha sido por gracia. Los casados deben orar por su conyugue, por las buenas relaciones que debemos mantener, como uno de los fundamentos de todo bien sobre la tierra. Por nuestra sexualidad —dentro del matrimonio—, para disfrutarla como es debido, como el Señor ha prescrito. Los solteros oran por su futuro conyugue dentro de la voluntad perfecta de Dios y para mantener su sexualidad en los límites que Dios ha establecido. Rogamos por los amigos que tenemos y que el Señor nos dé más amigos sinceros y leales, presentándonos a nosotros mismos como los mejores amigos de ellos.

Terminado el tema de las relaciones, pasamos por último al tema de las tentaciones. Reconocemos que tenemos enemigos, pero nuestros enemigos espirituales son con quienes debemos luchar. Nosotros luchamos espiritualmente y vencemos con nuestra fe. Sufrimos en las luchas y pruebas que son para nuestro crecimiento y moldeo. Sufrimos por el evangelio y por la justicia (por vivir como lo ordena el Señor) y esto genera gran galardón para nosotros, pues Dios quiere que reinemos con Cristo y participemos de su santidad.

Observamos que el Señor desea que no entremos en tentación, que toda concupiscencia sea repelida por nosotros antes de entrar a nuestro corazón a través de la oración y el entendimiento de las Escrituras. El diablo nos tienta al orgullo y diversos deleites. Nos quiere arrastrar a una idea necia de que el pecado es bueno y hasta lícito. Bombardea nuestra mente queriendo que creamos erróneamente que el mérito es nuestro, que ser humildes no nos lleva sino al menosprecio. Pero nosotros reprendemos sus maquinaciones y aprendemos de Cristo todo su santo comportamiento. No quedándole otro remedio al diablo, ante su fracaso de hacernos pecar, que fraguar planes de adversidad inadvertida, definida como errores humanos, de nosotros o de otros, rigor de la naturaleza o simplemente acontecimientos fortuitos. Sin embargo, tenemos de Dios promesas maravillosas para tornar en inocuos los planes del maligno, y la mano del Señor se levanta para que aún ángeles poderosos acudan en nuestro auxilio. Mediante la fe tomamos todo el beneficio de su poderosísima Palabra.

Estos son los cinco temas de la oración de Cristo que deben estar presentes en todas nuestras oraciones cotidianas. Cristo dijo: «Ustedes orarán así». Esto no es simplemente una recomendación, es sabiduría y poder de Dios. Es el método de Cristo, es la manera más poderosa y efectiva de orar. Sabemos que la oración eficaz del justo puede mucho y Cristo Jesús nos ha revelado en su Palabra en qué consiste esta oración eficaz.

Mi deseo personal es que Dios traiga miles de bendiciones desde el día de hoy a su vida. Si es que desde hoy decide hacer de su oración un tiempo poderoso usando los cinco temas de la oración de Cristo.

CPSIA information can be obtained
at www.ICGtesting.com
Printed in the USA
BVHW041709140720
583606BV00006B/406